Mikrokosmos Ⅲ
ミクロコスモス——映像の小窓

ベルギー南部・アンヌボア城にて＊

オランダ・ダムの街にて＊

プラハ・カレル橋にて＊

プラハ・ロレッタ教会＊

I　ベルギー美術紀行

ブリュッセル・グラン・プラスでの祭りの行進＊

ルーベンス「キリストの降架」（聖母大聖堂・ノートルダム寺院）アントワープ＊

I　ベルギー美術紀行

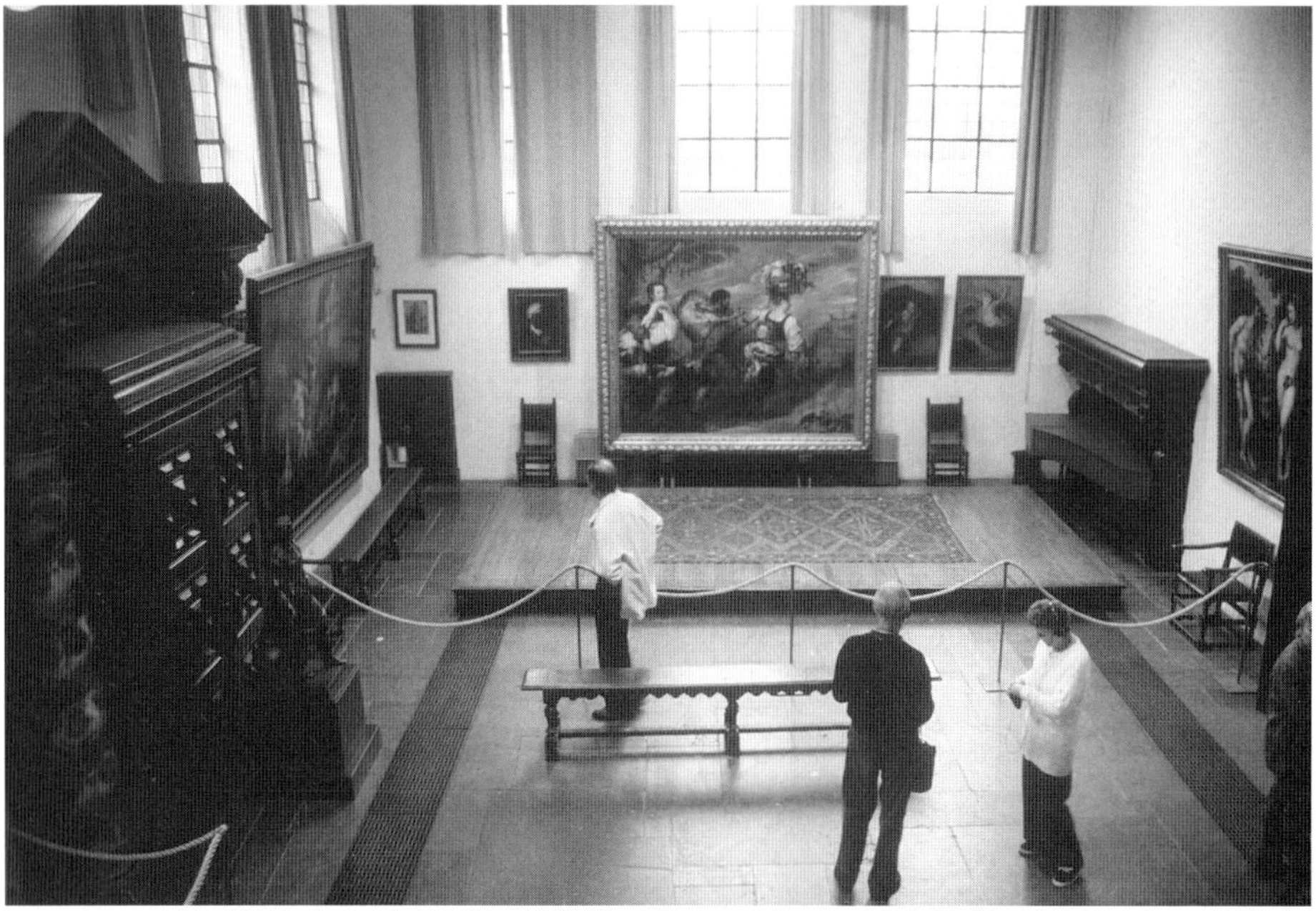

ルーベンスの家—工房の内部空間（アントワープ）＊

ベルギー南部・ナミールの街々＊

I　ベルギー美術紀行

ベルギー南部・ディナン＊

ブリュージュの街にて＊

I　ベルギー美術紀行

ベルギー南部・デュルビュイにて＊

ブリュージュ・ギルドハウス＊

Ⅱ　オランダ美術紀行

運河の街アムステルダム＊

アムステルダムの花市場＊

デルフトの街にて＊

II オランダ美術紀行

בשנת ואני ברב חסדך אבוא ביתך לפק

アムステルダムのシナゴーグ＊

ダムの広場にて＊

Ⅱ オランダ美術紀行

レンドラントの風車の前で＊

マルタ・パンの「浮かぶ彫刻」（クレラー＝ミュラー野外美術館）＊

II オランダ美術紀行

ヘットロー宮殿の庭園＊

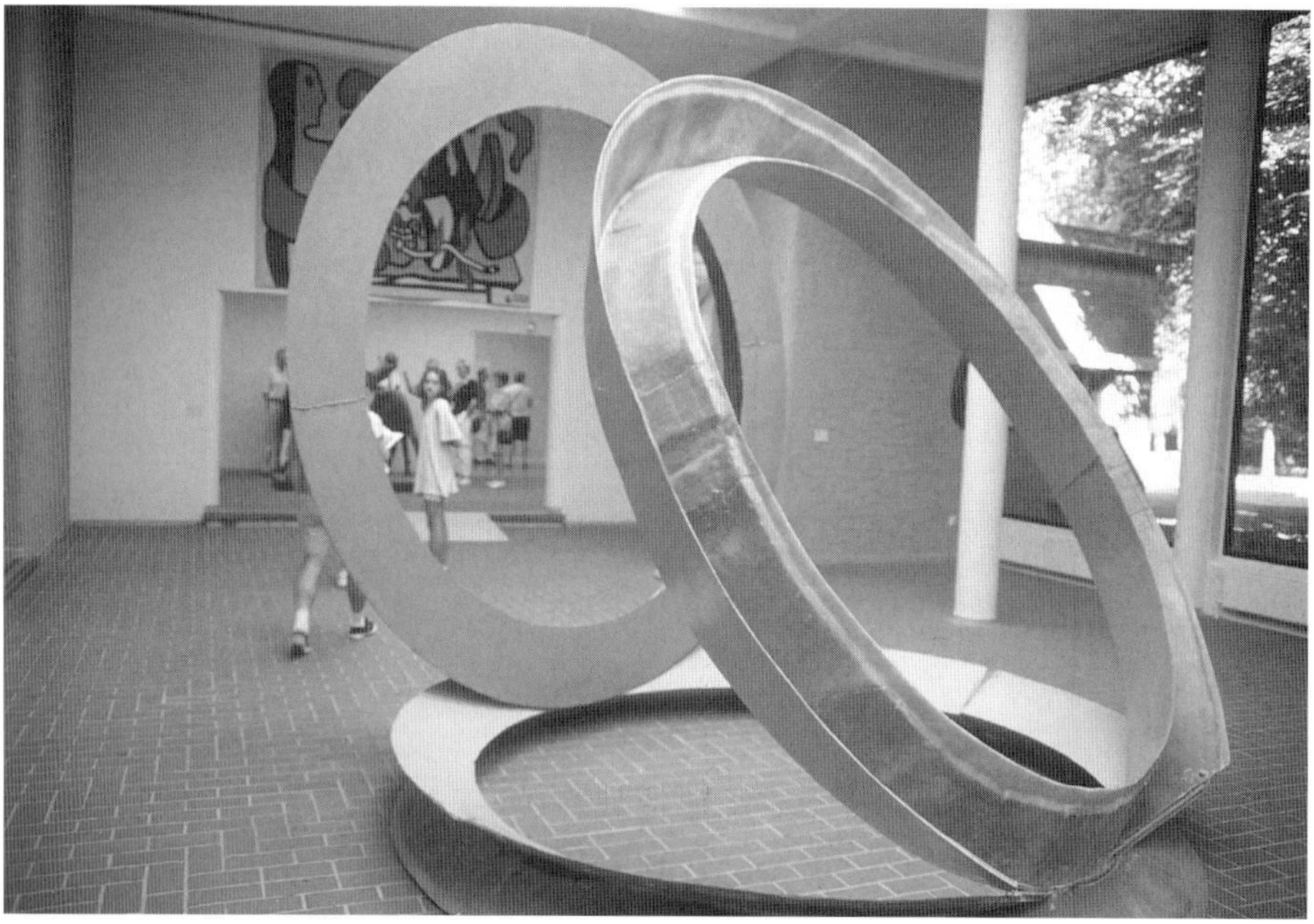

クレラー＝ミュラー美術館にて＊

II　オランダ美術紀行

ヘットロー宮殿の噴水＊

II　オランダ美術紀行

ジャン・デュビュッフェの彫刻作品（クレラー＝ミュラー美術館）＊

Ⅲ プラハ美術紀行

プラハの天文時計（オルロイ）＊

チェルニン宮殿＊

Ⅲ プラハ美術紀行

プラハのティーン教会*

III　プラハ美術紀行

プラハ・カレル橋＊

プラハ国立歌劇場（1888年創立）＊

III プラハ美術紀行

プラハの街角にて＊

III　プラハ美術紀行

プラハのシナゴーグ＊

プラハのユダヤ人墓地＊

Ⅲ　プラハ美術紀行

プラハのストラホフ修道院リーフレット

プラハの〈黄金の小路〉カフカが一時住んだ家（N22）＊窓にはカフカの本が並んでいた。

Mikrokosmos ミクロコスモスⅢ——美の散歩道《プロムナード》2／目次

I ベルギー美術紀行

II　オランダ美術紀行

III プラハ美術紀行

「〈神の子羊〉を求めて」――まえがきにかえて

ここに収録したのはオランダ・ベルギー美術紀行とプラハ美術紀行の三本である。それぞれ私が企画した〈美の旅〉の記録をベースにしている。この時もいつものように現地の情報もあつめつつみずからプランニングして行程全体がスムーズにいくように工夫しながら実行してきた。たしかプラハ美術紀行の時はこれまで最小人数の六人だった。このプラハへの旅では経費の関係もあり旅行業者を同伴させないで、私がそれを兼ねながら引率した。

この本にのせた文には原データがある。それぞれの旅行後に、私は現地レポートとして小冊子をつくり参加者に配布してきた。今ふり返ってみて、かなりの長いレポートを書いていたとわれながら感心している。かなりの短期間で書き上げて旅行報告会にあわせてみんなに配布してきた。若かったのでできたのであろう。今なら全く自信がない。なによりこのレポートをみんなに読んでもらい〈美の旅〉で見聞したもの〈各都市の歴史文化、美術作品、建築、工芸など〉の〈すばらしさ〉を再確認してもらうためであった。このレポートのカバーには必ず一人ひとりに現地で私のカメラで写した写真を添えた。

今回レポートを〈再録〉するにあたっては情報が古くなっているものもあり、修正・補足したところもある。また、レポートで書ききれなかったことがかなりあり、それを「アートコラム」として特別に書き下ろしたものもある。両方を読んでいただくとうれしい限りだ。

この〈まえがき〉の副題として「〈神の子羊〉を求めて」とした。ベルギーの美術館では多くの〈神の子羊〉が登場する作品をみてきた。キリスト教図像ではかなり頻繁にみられるテーマの一つだ。

いうまでもなく〈神の子羊〉とはキリスト教世界では〈イエス・キリスト〉自身を示し、さらに〈受難のキリスト〉の象徴でもある。その〈神の子羊〉の中でも白眉の作品がゲントのシント・バーフ大聖堂にある。ファン・エイク兄弟による「ヘントの祭壇画」である。通称「神秘の子羊の礼拝」と呼ばれている。この多翼祭壇画の最大の見所は〈神の子羊〉を礼拝するシーンである。この部分を描いたのは弟のヤン・ファン・エイクといわれている。頭部から光彩を放つ〈子羊〉。しかしこの〈子羊〉の胸からは赤い血が流れ聖杯に注がれている。周りには有翼の天使像が野に膝をつきながら手をあわせている。この〈神の子羊〉の聖壇がおかれた野一帯には草花も咲き、美しい情景を生み出している。〈神の子羊〉の上部には聖霊のシンボルとして白い鳩が描かれ、そこから光線が降り注いでいる。

ヤン・ファン・エイクの細部描写は卓越している。まちがいなく〈神の子羊〉を描いた作品の中でも最高位にある。〈子羊〉ものでは〈善き羊飼い〉という図像も多く描かれている。それは『新約聖書』にかかれている「私は良き羊飼いである。私は羊のために命を捨てる」に依拠する。この場合〈良き羊飼い〉とはキリスト自身を、そして〈羊〉とは私達のことを指している。さらにくわしくみるとこの〈善き羊飼い〉は『旧約聖書』の〈ダヴィデの歌〉、「神は私の牧者（羊飼い）である」に先例がある。『旧約聖書』と『新約聖書』はつながっているのだ。

このように〈神の子羊〉をめぐっていくとさまざまなことがみえてくることになる。〈神の子羊〉のことを、ラテン語では〈アニュス・デイ〉(Agnus Dei) という。

このように一つの図像をめぐって随想することで、これまで知らなかったこと、そこに秘められていたことなどがみえてくる。

ぜひともこの本の中で気になった作品や図像、建築などと出会ったら、みずからの手で調べてみて下さい。必ず新しい発見があるはずである。〈美の森〉には私達が知らないいろいろな宝物が隠されているはずだ……。

わたしはシント・バーフ大聖堂で一冊の本を買い求めた。「The Adoration of The Lamb」(Davidsfonds/

Leuven）だ。PETER SCHMIDTによる著作。写真はPAUL MAEYAERTによる。この写真家が撮影した図像がとても鮮明で美しい形象をとらえていた。本の装丁もすばらしく、私が大切にしている貴重本の一冊である。ここではこの本の〈表紙〉部分をのせておくことにする。本文を読むときの〈資料図像〉になればと願いつつ……。

『The Adoration of the Lamb』表紙

写真キャプションの「＊」は著者撮影

I．ベルギー美術紀行

「ブラボーの像」―アントワープ＊

1　アントワープとルーベンス

★アントワープ〔ANTWRPEN〕

ブリュッセル〔BRUXELLES〕の宿泊は、少々都心より離れたパレス・ブリュッセルである。このホテルの界隈は庭園となり、ウィーンのシェーンブルンにあったようなガラスでできた温室がおかれ、ゆるやかな起伏のある散歩道になっている。

ここを起点にして、アントワープや市内見学をすることにした。夜には、ホテルの近くにあるレストランまで散歩がてら、ディナーに出かけた。名の知れた名店もある。ル・グラン・キャフェ、ル・クリスチャンズの二つのレストランは、ともにこの街の市長の名をとったなかなか大きい大通りであるアンスパ通りに面している。ブリュッセルでは、「Brasserie Leopold」〔Rue luxembourg〕や「Chez Léon」〔Rue des bouchers〕などのレストランに入ったが味はなかなかなものだった。ひとつひとつの料理は、味付けもあまり濃くもなく、日本人の舌にはとってもマッチしていた。

さて、ブリュッセルからこの地に入ると雰囲気が異なるのにきづかされた。通行している人たちの姿が、しぜんに眼にはいる。黒い服に身をつつみ、帽子をかぶり、もみあげが長い男達が街をあるいていく。それが、ひとりではない。ほとんどといっていいほどに同一のスタイルをしている。彼らはユダヤ人のようだ。なにやら、この街の隠れた歴史の深いところを見せられたような気がした。

この街とユダヤ人の関係はとても深い。この街の金融やダイヤモンド産業と強く関わっている。

一方でこの街は、ファッション界においてもとても重要である。デリス・ヴァン・ノッテンなどの新進デザイナーが誕生したホットな場でもある。

まずアントワープ巡りを、この街の顔である「アントワープ中央駅」〔Station Antwerpen-Centraal〕が荘厳にそびえるクィーン・アストリッド・スクエアから始めた。この駅舎をみたものは誰でも、経験的にみずから抱く駅のイメージをきっぱりと捨てなければならない。というのもこの駅は、古典的様式を持ち、あたかも美術館や王宮のような立派な風格をもち君臨しているからだ。ドームを上にかかげている。その中は外光が弱くやや暗く、写真を撮るには、とても不便だった。駅舎らしく切符売りの窓口があるが、それもどこかむかしの銀行窓口の感じでものものしい。その窓口だけが、蛍光灯がにぶくかがやいていた。

この駅舎には、外見をみただけではみえてこないが、隠された秘密がある。別に秘密のアジトがある訳ではない。この街らしく、ダイヤモンド業取引の会社が地下にあるという。駅の西側には、約2ヘクタールの地域にダイヤモンドの取引場が広がっている。4つの取引場があり、輸出入、加工、販売をてがける業者が集まっている。そのため地下にも、ダイヤモンド取引の会社などが数おおくあるというわけだ。

この街は、ダイヤモンド取引の一大市場であり、インド、南アフリカ、ロシアなどから入るダイヤはアントワープとその周辺都市でカットし、研磨して宝石になるという。「ここでは、世界のダイヤ原石の50%、天然工業用ダイヤの80%、世界の加工ダイヤ生産量の50%以上を取引する。現在、世界の20%取引所のうち、4取引所がアントワープにある。ダイヤ原石の輸出入から加工、卸を手がける専門企業は１５００社を数える。ほかに、個人営業のブローカーも多く、ダイヤモンド産業の従事者は市全体では約三万人にのぼる。そのうち７０００人が加工に従事する」（井上繁著『都市づくりの発想』〈ダイヤと欧州の文化首都——アントワープ市〉より）。さらに、ダイヤモンドにとどまらず、サファイア、ルビー、エメラルドなどの宝石の一大取引場という。確認はできなかったが、この地には、画期的な研磨技術であるダイヤモンドでダイヤを加工するという新技術を開発したロジウィック・ヴァン・ヘルケムの像が立っているという。この地の産業を追いかけているのは、同じユダヤ系資本が集積するテルアビブやインドのボンベイだという。

駅舎前は、広場になっているが、申し訳程度に花を植えてあるが、砂地であり豪華さにはかなり欠けていた。アントワープでの昼食は、この広場に面したルーベンスの名をとったなかなか趣のある Rubenshof であった。

大通りから小路にはいり、ルーベンスの墓のある「聖ヤコブ教会」〔Sint-Jacobskerk〕へと急いだ。路脇には、美術学校らしき建物があり、現代的感覚の彫刻が壁にかけられていた。この教会の入口の扉は、ロマネスク的様式の細い柱が印象的である。このヤコブとは、キリストの弟子の一人、聖人ヤコブのこと。スペインにある中世最大の巡礼地サンチャゴ・デ・コンポステーラは、このヤコブを記念する聖地になっている。元は漁師であった聖ヤコブは、通例貝をみずからのシンボルとする。

中に入るととても静かな教会空間があった。だが、残念ながら時間があわなく、ルーベンスの墓のある礼拝堂はがっちりと閉まっていた。仕方がないので、豪華な教会内部をしばし眼にやきつけた。墓詣ができないなら、せめて入口で教会の葉書かパンフレットなどの記念資料がないか探したが、それも見当らない。

念のため、奥にある司祭室らしき部屋をノックしてみた。いくつかの資料があった。葉書類などを買って少々会話をした。「ルーベンスの墓をみにきたが、見られなくてとても残念だ」とのべると、この職員は、私にむかって「こっちに来なさい」という。特別に墓をみせてあげようというのだ。では〈どうぞ〉と鎖をとってしずかに部屋へ戻っていった。この暖かい思いやりに感謝しつつ、ゆったりと墓詣でをした。予想をはるかに越えて、ルーベンスの墓は大きく堂々とした風格をみせていた。特別に造られた個人用礼拝堂であり、色大理石によるバロック様式の墓の上には、彼の絵画などがかけられていた。みずからの墓の上に自分の作品をかかげる。

考えてみれば、古今東西を調べても、死後もこんな優遇をうけている画家は決して多くはないだろう。ローマの「パンテノン」に眠るラファエッロにしても、いまでも花を手向ける人は絶えなくても、こんな君主のごとき特別待遇などうけていない。ラファエッロは、暗い空間で寂しく眠っているのだ。それにひきかえこの高遇は、やはり通常ではない。墓の中で、まちがいなくルーベンスは至上の歓喜を味わっているにちがいない。

さて、ここでこの街の名の元になっている伝説をのべておこう。英語では、〈アントワープ〉であるが、フラマン語ではアントウェルペン〔Antwerpen〕となる。ここでは〈アントワープ〉のほうを使ってゆくことにする。〈Ant〉とは、〈手〉のこと。Hand のHがとれて〈アント〉となった。〈werpen〉とは、〈投げる〉、〈投げつける〉こと。

むかし、スヘルデ川に巨人アンティゴンがすみ、ここを通行する者から税を取立ててそれを拒む者の手を切り落としていたという。ローマ軍の隊長シネヴィウス・ブラボーは、この巨人を退治し、その手を切り落としこの川に投げ入れたという。以来、この男は街の救済者となり、英雄として人々の尊敬を集めたという。この故事から、街の名がつけられたという。現在「ブラボーの像」は、噴水となって中央広場〈グローテ・マルクト〉に建っている。〈切られた手〉という残酷な話ではあるが、〈手〉と街の関係は結構深いものがあるようだ。

この街には、こうした手にまつわることがおおいのだ。そういえばMEIR通りをあるいていて、でっかな手だけがゴロリと横たわっている現代彫刻をみた。いうまでもなく画家ルーベンスは、みずからの〈黄金の手〉で数々の名作をつくり出したのではないか。さらにいえば現在この街では、世界の女性を飾るために、職人たちは美の結晶体をつくり出すためみずからの手でダイヤの鉱石を研磨しているという訳である。

★ルーベンスの家〔RUBENSHUIS〕

この地にはルーベンスの家があり、さらにルーベンスの名作が飾られている「ノートルダム大聖堂」もある。この地を訪れた者は、だれもがルーベンス三昧《ざんまい》となる。

まず彼の制作と生活の場となった家のほうから紹介することにする。この家は、周囲の家並みと、とてもよく同化している。画家の家という風情ではなくどう見ても貴族の邸宅という趣をみせていた。

入口をくぐると、受け付けがあり、直ぐの部屋は、当時としては珍しい吹き抜けとなっていた。中2階があり、そこはベランダ風となっていた。ルーベンスはベランダに立ち、制作した作品を並べて、そのでき具合などを吟味したという。

ここで購入した『ルーベンスの家アントワープ』という日本語版パンフレットに記載されているポール・ヒューベンヌの文を長めに引用して、この画家の美術史的位置をひとまず確認してみよう。

「西洋美術の代表として10人の芸術家の名を挙げるとすれば、ルーベンスは17世紀を代表する最も偉大な画家としてその中に含めることができるであろう。彼はピカソと並んで、その生涯を通じて率直で豊かな表現力をたゆまず研磨し続けたタイプの芸術家と見ることができる。ルーベンスはデザイナーすなわち意匠図案家として、画家だけでなく、彫像、図版、タペストリー、金工芸品など、幅広い分野で活躍した。芸術理論においても広く深い知識を持ち、当時の古代研究家としても有名であった。芸術家としての彼は生存中、彼を取り巻く芸術環境に圧倒的な影響を与えた」。

実際に彼の画法は17世紀のフランドルの巨匠達、すなわち、アントーン・ヴァン・ディク、ヤコブ・ヨルダーンス、ヤン・ブリューゲル、アドリアーン・ブラウエル、ダーヴィッド・トゥニールスなどに決定的な影響を及ぼしたという。

さらにこうも高く評価する。「ルーベンスはそのバロック芸術をもって、南ネーデルランドの景観を完全に変えてしまったと言って過言ではない」という。それはどういうことかといえば、彼が活躍し始めると、それまで全てを支配していたゴシック様式は姿を消してしまったというのだ。

彼の死後もその光の輝きは陰りを見せなかった。ポール・ヒューベンヌはルーベンスの芸術の熱狂的な支持者として、辛辣な反対者との間で激しい議論を交したという。

たしかにルーベンスは後世の画家たちに多大な影響を与えた。フランドル派の美術家達だけでなく、ワトー、ゲインズボロー、ドラクロワなどの巨匠、さらにはルノワールなどの印象派の画家達もまた、ルーベンスの影響を大きく受けており、この20世紀の我々の時代に至るまで、ルーベンスは西洋の絵画芸術において、決定的な役割を果たしてきたと言うことができる。

ポール・ヒューベンヌは、ゲント大学で美術史及び考古学を収め、その後「ルーベニアナム」〔Rubenianum〕の研究者に就任し、１９８４からは、この〈ルーベンスの家〉の研究管理責任者となっている。彼の文は、たしかにルーベンスの巨人性についてはつつがなく網羅している。ただ、どうであろうか。少々、疑問をはさみたい。

私は、ピカソと比較することには異論があるし、彼が制作した作品には、自作と弟子との共同制作作品が混在しており、区別がつかないという。芸術作品の一番大切な問題であるオリジナリティ性については、触れていないということには、納得がいかない。変貌しつづけみずからの作品を解体しつつ、創造していったピカソは、いうまでもなくたったひとりでそれを実行したのである。彼のあくなき探究心と手だけが武器であった。ピカソの創造力は、群を抜いて卓越しかつ不朽である。しかし、ルーベンスの場合はどうであろうか。2千とも3千ともいわれる作品をたしかに量産したが、はたして真に彼の手によるものだけを数えたらどうなるであろうか？大いなる疑問である。

まちがいなく世界中にある美術館の作品のいくつかを、「ルーベンス工房作」と変える必要がでるであろう。17世紀における絵画制作の仕方がちがうことをふまえてポール・ヒューベンヌは、強調し異議を唱える者たちに対して、弁護につとめている。曰く、「バロック時代における芸術理論では、最も重要なことは作品の最終仕上げではなく構想であったということを、心に留めねばならない。芸術家は〈モデュロ〉と呼ばれる構想画を作成、その具体的な制作は彼のアトリエに任せることができたのである」と。

むろんルーベンスのように工房制作が一般的であったという社会的状況を考慮しても、真作かどうかというのは、模作や贋作にも絡んでおり、芸術作品の本質にかかわる根源的問題である。実はこのことを熱心にかつ真摯に行っているのが、レンブラントの作品鑑定である。現在、調査が進み真作が一転して共同制作（つまり工房作）というレッテルを貼られているという。そこから生じる深刻な事態は、画家の作品評価にかかわるだけでなく、所蔵している美術館やコレクターの威信失墜にもつながることを知りつつ検査はつづけられている。

ところでこの家は、現在美術館となっている。ルーベンスは、１５７７年にドイツのジーゲンに生まれたが、両親がアントワープ人であったこともあり、一時宗教戦争の渦をのがれてドイツに疎開していた。

父の死後、このアントワープに転住した。画家を志し、修業を通してメキメキと腕をあげ、１５９８年には親方《マイスター》となりルネサンスの中心地イタリアに赴き、マントヴァ公ゴンザーガに8年間も仕えた。母の病気により帰国した。母の死後は、この地にすみ、イタリア仕込みの技量をかわれて、アルブレヒト大公とイザベラ公妃の宮廷画家として召し抱えられた。１６０９年には、イザベラ・ブラントと結婚し、順風満帆の人生を歩みだす。殺到する注文をさばくため、この地ワッペルに邸宅とアトリエを設けることになる。当時は、ここまで運河が走っていたという。

1620年代には、彼は別な才能を発揮することになる。外交使節の一員として、ヨーロッパ諸国の利害調整に尽力した。このように光にみちあふれた翳りのない栄光の人生がつづくが、唯一翳りとなる出来事をあげるとすれば、妻が病気により先立ったことであろうか。

しかしそんな不幸をふり払うかのようにして、4年後には、16歳のエレーヌ・フールマンと結婚した。老いたこの男は、さらに栄光の時間を過ごすことになる。若き女性との結婚で、5人の子供がうまれ幸福な生活がつづいた。ルーベンスはある種のプロデューサーの才覚をもっていた。諸外国からの作品依頼もおおくなり、まさしく国際的画家として飛び回る忙しさであった。こうした栄光の人生をすごし、制作の場となったのが、この大きな邸宅であった。実際にアトリエ、食堂、美術品の収集の部屋、ドーム形美術館、寝室、プライベートアトリエ、さらには家具、ベッド、暖炉、壁紙、陶器、机、椅子などをみてつくづく感じるのは、彼の財力の豊かさである。内弟子を住まわせ、外からも応援を頼みつつ、ともに共同制作しつつそれを切り盛りする大画家の素顔がみえてくるのだ。

壁にかけられたルーベンスの作品で、興味ぶかいのは、「アダムとエヴァ」だ。彼の中でも初期のものに位置づけられている。画風にはイタリア後期マニエリスム様式の影響がかいまみえる。「受胎告知」「自画像」「羊飼いの礼拝」などがある。また自画像は、4点ほどしかない自画像の中でも優れたもの。もうひとつ、私が好きなのは二階の角の寝室・リネン室にある「ミハエル・オプホヴィウス」の人物画である。厳格かつ的確にこの人物が活写されている。この男性は、この地のドミニコ会修道会の僧であり、彼の聴罪師であったという。特に顔の描写が卓越していると感じた。

ルーベンスのルネサンスへの興味と関心は、外の庭園づくりにも如実にあらわれている。古代彫刻をおき、廃墟空間のイメージを再現している。しかしながら、私の心は最後まで躍動しなかった。この家を訪問しても特別の感慨がどうにもわいてこないのは、この画家のあまりに身振りのおおきく、脂ぎった壮大なバロック的絵画のためではないだろうか。

実は、私のようにルーベンス嫌いも決して少なくはないようだ。詩人のボードレールは、「ルーベンス、忘却の河、怠惰の園、／さわやかな肉の枕／生命は絶えず流れ波立っている、／空の風のように海の潮のように」と謳っているではないか。

この詩人はその絵画世界を「通俗性の泉」と厳しく批評する。しかしながらというべきか、それとも残念ながらというべきか、〈通俗性の泉〉という名辞ほど、この画家の本質を捉えた言葉をしらない。それらをふまえながら良くいえば、その俗性のなかで、聖なるものを凝視し、絵画の芳潤さを追求しょうとしたともいえなくもないのだが……。

★大聖母教会とフランダースの犬

ルーベンス芸術に対して厳しくいいすぎたかも知れない。少し批難の鉾をおさめて、彼の最高傑作をみておきたい。

ルーベンスの作品でも特別の価値をもつといわれる「聖母大聖堂」〔Onze Lieve Vrouwekathedraal〕にある「キリスト昇架」（三連祭壇画）と「キリスト降架」（三連祭壇画）についてのべておこう。

この聖堂とこの2作は、ご存じのように、日本人にとっては思い出深いある児童文学作品と深く関わっている。イギリス人の女性小説家ウィーダにより、19世紀にかかれた『フランダースの犬』は、ネロ少年と共にルーベンスの名と緊密にむすびあわさっていった。日本の子供達と元（？）子供達は、なによりもネロ少年が最後の息を引きとる前にみた絵画作品の作者として親しみをもっているようだ。

しかし、不思議なこともあるもので、この児童文学は、この地では全くといっていいほどに知られていなかったという。この女性は、英国生まれでフランス名はマリー・ルイーズ・ド・ラ・ラメーという。父がフランス人であったこともあり、特にフランダースという地域とルーベンスに特別の関心をもったようだ。『フランダースの犬』の人気もあり、それにかきたてられ、おおくの日本人がこの地を訪問するため、この地にもネロ少年と老犬パトラッシュの像が作られた。さらにこの作品もようやくオランダ語に翻訳されたという。とすれば、日本人が『フランダースの犬』人気に火をつけて、銅像まで建てさせたことになる。現在は、ネロ少年と老犬パトラッシュの像が、ホボーケン〔HOBOKEN〕という村に置かれているという。

ウィーダは、この作品でこの少年と犬の悲劇を描こうとしたのであろうか？　それとも、ルーベンス賛美の声をあげようとしたのであろうか？それを論じる前にこの物語を短く紹介しておきたい。

物語は、アントワープから5キロ離れた郊外が舞台。ネロ少年は、祖父と生活していた。祖父の仕事は、牛乳を荷車でアントワープまで運ぶこと。犬のパトラッシュは、飼い主に酷使され、さらに飢えで仮死状態となり捨てられていた。それをネロらは手当をして、よみがえらせた。ネロ少年には、絵心があり、この聖堂にあるルーベンスの絵をみることを切望していたが、この聖堂に入るためのわずかばかりの金もない彼は、この聖堂に入り、布で覆われた聖画をみることはできなかった。

祖父の死により、住む場所もなくなる。悲劇はつづいた。さらに展覧会に応募していた自分の絵も落選してしまう。地上で全てを喪失してしまったネロと犬は、悲嘆のきわみの中でこの礼拝堂にもぐりこみ、互いに凍えた体を温めあった。意識が朦朧としたなかで、奇跡がおこる。絵の布がとられ、その絵に光が差し込んだ。今しも死に行くネロ少年は、死せるキリストの身体が十字架より降ろされる荘厳なドラマをみる。この時、ネロたちの魂は天に上っていった。

とても、とても悲劇的な物語ではある。ウィーダは悲劇的物語を書こうとしたのであろうか、いやそうではない。この小説はそれにとどまらず、ルーベンス賛歌の書であることに、留意すべきであろう。

ウィーダは「ルーベンスがいなかったら、アントワープはどうだったでしょう?ただきたない、いんきな、そうぞうしい市場町にすぎず、波止場で取り引きする商人をのぞいては、だれひとり目をとめて見ようとしないでしょう。ルーベンスがいればこそ、アントワープは全世界の人々にとって神聖な名まえとなり、神聖な土地となり、芸術の神が生まれたベツレヘムとなり、芸術の神が死んで眠るゴルゴダの丘となっているのです」と高らかにのべているのだ。

この街は、〈芸術の神が生まれたベツレヘム〉であると最大の賛辞を送るウィーダ。そして〈ルーベンスの存在がこの街を神聖なものとする〉という、この声は、どうみても過剰な興奮に動因されているとおもうのだが、現在この街がルーベンスと分かちがたく結びついていることを知るとき、その予言的賛辞は、決して的はずれではなかったようだ。

私は、この礼拝堂で二大作と向いあった。ルーベンスのなかでもこの作品は、特別の価値をもっているといえる。やはり芸術の神がこの作品に降臨したのだ。全体に、強靱な絵画構造に貫かれているが、深い宗教的感情、特に悲しみの色が漂っているように思えてならなかった。それは多分に、聖堂という空間でみたためかもしれないが……。また色彩感覚もどこか湿っていると感じたのだが……。

私はあることに気づいた。ルーベンス絵画の本当の価値を味わうためには、美術館の空間ではなく、むしろこうした天上世界に通じるような聖堂空間で、蒼穹をみあげるようにして彼の作品をみるのが、一番相応しいのかもしれないと。

聖堂空間に飾られた絵画の中にあって、これほどまでに涙を誘う作品はとても少ない。特にマグラダのマリアの涙は、宝石のように清純だ。この人間的な豊かな感情には、自然に共感できる。

キリストによって、欲望と罪の虜になっていた人生から解放された娼婦マグラダのマリア。それは、罪ある者の代表であった。いやそれは、私のことかもしれない。もしかしてあなたかもしれない。そんな近親感が、見るものをひきつけて止まないのだ。いましも、絵の中から涙がこぼれおちそうとしていた。

「キリスト降架」では死を慟哭するひとたちは悲嘆の心に染まりつつも、必死にキリストの身体を地上におろしている。青白いキリストの身体は、力を喪失しているが、それを支える人たちの身体のダイナミックさが、絵に強い緊張感をあたえている。

しかしながらルーベンスは、〈涙の谷〉にとどまってはいなかった。そこがルーベンスらしい。センチメンタリズムを脱ぎ捨て、15世紀絵画において感情表現が上手であった画家ロヒールの真性の後継者らしく、今度はバロック的な演出に専心した。時代の好みといってしまえばそれまでであるが、ルーベンスは、この劇的シーンを一つの演劇として演出し、力動感を精一杯に開花させつつ、みるものを劇的な情景へと誘うのであった。私の好みでいえば、やはり哀歌の主題である「キリスト降架」の方が心の中に自然に入ってきた。

＊

さてこの地には、とても小さいが見逃すことができない、「マイエル・バン・デン・ベルグ美術館」〔Mayer Van den Bergh Museum〕がある。ネオ・ゴシック様式によるベルギーの中でも屈指の私設美術館である。19世紀末のコレクターであるブリッツ・マイエル・バン・デル・ベルグ氏の収集品を展示している。中心は、14—16世紀の絵画作品である。なんといってもここの宝物は、ブリューゲルの「狂女フリート」と「12のネーデルランドの諺」である。この美術館は、もとは個人邸宅であり、そのためであろうか、照明などやや不十分であった。この〈デュル・グリート（フリート）〉は、画集でみるよりもこぶりである。それでも、この絵を一度みれば、一気に謎めいた世界に呑み込まれていくことになる。この作品のタイトルとなっているフリートとは一体なに者か。その謎解きはそう簡単ではない。いろいろと解説書を読んでみたが、その中で一番的確だったのは、坂本満のものだった。『原色世界の美術7』（小学館）の作品解説をそのまま引用しておくことにする。

「デュル・グリートは、中央の大きな女のことで、フランドルの古い諺で言う『剣をつかんで地獄に行く』欲望で盲目にされたこわいもの知らずの女のことである。彼女の貪欲にとって、フライパンや皿と宝石箱との区別はない。手あたり次第にあらゆるものを小脇にかかげて突進するのみである。彼女が指揮する女房たちの一隊は敵の城を攻撃中で、これには怪物達もたじたじの体といったところである。後景の炎に赤く染まった空の色からも察せられるように、ここは地獄でもある」

画像をくわしくみてみることにする。化物の顔をした城門や破れた卵の家。滑稽な小怪物などの悪のシンボル。女房達の欲望にとりつかれたエネルギー。

このブリューゲルが描きだした情景は、彼が得意とした〈さかさま〉の思想からすればノーマルな日常生活そのままを描いたことになる。さらに研究者ジュナーユの要約に従えば、デュル・グリートは「婦人の意地悪さ、あるいは人間の悪魔的な能力だけではなく、悪の戦いと精神の激しさ」の象徴なのである。

ボッス(ボス)の影響の強い作品であるが、私にはどうしても古い諺に触発された図像というよりもむしろ、戦乱に明け暮れた当時の世界の実景にみえてしょうがなかった。ブリューゲルは、この映像によって、彼なりに体験した世界の崩壊と、それへの危機意識を映しだそうとしていたに違いない。また考えようによっては、この女性が、その危機をのりこえるパワーを持っていると洞察しているのかもしれない。とすれば、現代的な意味を発する、なかなか示唆に富む映像といえる。これからさらに新しい解釈が生まれてくるのかもしれない。

2　美の殿堂――ベルギー王立美術館〔Musées royaux des Beaux-Arts de Belgique〕

★古典美術館

このブリュッセルには、気品に富んだ美術館がある。当時は古典美術館と近代美術館の2つが、同一の建物のなかに存在していた。膨大な作品をみるため、少々贅沢となるが、私たちは、2日間にわけて、1回は、近代（現代を含む）を中心に、2回目は、古典を中心にしてみることに大まかにきめた。近代美術館の方は、一階ホールに19世紀の作品が展示されているが、おおむね別館におかれている。二度同じ美術館の門をくぐることは無駄の部分もあるが、疲労度等も考えてそのようにした。

解説によれば、エレベーターで地下におりるとあるが、作品と出会うためにはまさしくダンテの『神曲』における〈地獄めぐり〉のように地下へ、地下へと下降していかねばならない。

最初に、古典美術館について紹介しておこう。

最初にむかえてくれるのは、フォーラムとよばれる空間である。この空間は、とても広くそして開放的空間である。そこにロダンなどの19世紀彫刻と象徴主義絵画などがならんでいた。特に絵画では、コンスタン・モンタルド〔Constant Montald〕の二作が眼に入って来る。ベルギー象徴派の画家であり、彼岸性の濃い理想的な神秘性の濃い社会を主題にしている。二作とも、この美術館の壁を飾るために制作されたという。

だが画家の死後、致命的な損傷をうけたという。「理想の船」の原形は、〈535×525cm〉であったが、現在のスケールは、〈400×505cm〉となっている。つまり理由は不明だが、カットされ、こぶりとなっている。この画家の絵をみていると、油絵でありながら自然と日本画にみえてくるから不思議だ。画質が日本画の顔料のような質感をただよわせているためであろうか。この画家は、名誉あるローマ賞をうけてイタリアに赴き研究したが、その時にルネサンスの黎明を生きたジョットに強く関心をもったという。ジョットのフレスコ画法が彼の絵づくりに影響しているようだ。なにやら泉の所で男女が、〈不滅の水〉を飲んでいる。それは、理想社会（イデア）の図像化であろうか、不思議な神秘的な感覚をみせている。

ここには、19世紀彫刻が悠然と並んでいる。新古典主義の彫刻やロマン主義の彫刻では、マチュー・ケセルの「Scene from the Flood」（１８３０）がある。それは、二体の男女像からなる情景彫刻である。彼は、正統的な新古典様式を継承している。よくみないと気がつかないが、女性にしがみつくように子供がいる。女性は死の淵にいるかのようである。男は立ちしっかりと手で掴んで支えている。

危機的な状態の人体表現をおこないつつ、全体として調和を保っている。そうした伝統と調和をふまえた表現にとどまることなく、感情の表出などは卓越しており、優れた個性をみせている。彫刻家は、あまり大きくないこの彫刻の下部に水辺のシーンを刻み、上部へと連続するシーンを造り出していた。その創意がとても斬新である。

ジェフ・ランボーの「La Folle Chanson」がある。ギリシャ神話を主題にしており、カスタネットを手にしたニンフとサチュルヌスの騒ぎを主題にしている。動感に富みつつ、卑猥な笑いが表出している。これは、ジェフ・ランボーの32歳の時の作品であり、１８８４年のブリュッセルのサロンに出品したものという。この彫刻家は、むしろアントワープのマルクト広場に設置してある、すでに紹介した「ブラボーの像」の作者として有名である。

ここには、オーギュスト・ロダン〔François-Auguste-René Rodin〕の「カレーの市民」〔Les Bourgeois de Calais〕の群像の一体がある。ただあまり意識しないで、〈ここにもロダンの作品が所蔵されている〉と思うかもしれない。

ただあまり知られてないが、ロダンとブリュッセルの関係はなかなか深いものがある。ロダンは、パリ生まれではあるが、１８７１年から１８７７年までこの地に滞在しているのだ。亡命したこの１８７１年とは、パリではパリ・コンミューンが勃発し、大変な政治的な混乱となり、さらに普仏戦争によりフランスは敗北するという大激動の年であった。それを避けてこの地に滞在したらしい。帰国後の１８８０年には、ロダンは巨大な大作「地獄の門」やこの「カレーの市民」などに着手した。

この地での6年間は、彼にとって制作上においても貴重な時間でもあったようだ。実際にこの地でも彼は作品を制作しているし、この地の彫刻界にかなりの影響を与えている。

ロダンの弟子の中では、一番弟子のアントワーヌ・ブールデル〔Antoine Bourdelle〕の「弓を引くヘラクレス」の像がある。１８９０年までロダンのアシスタントをしたこの彫刻家は、かなりの理想主義者でもあり、当時の神秘主義グループの「薔薇十字会」にも参加している。

ブールデルは、９００点ともいわれる莫大な量の作品を創造しているが、その中でも彼の彫刻言語が一段と光を放っているのが、この「弓を引くヘラクレス」である。ヘラクレス、いうまでもなくギリシャ神話に登場する英雄である。この英雄は、ある時12の難題を課せられる。その一つは、ステュムパーロス湖に住む人間を食べる鳥を退治することであった。その試練の物語を題材にしつつ、ブールデルは、独自の視点でヘラクレス像を築きあげた。岩に両足を架け、渾身の力をこめて弓を引くシーンであるが、その荒々しい身体表現は、目をみはるものがある。矢はここにはない。いやみえないが、不思議と見るものは矢があるようにみえるのだ。弓を引く身体表現と曲がった弓から、私達は矢があたかもあるかのように見えてしまうのだ。〈省略の美〉とでもいうべきものがここにはある。

さて、このフォーラムから出て、各部屋に納められた古典絵画の名作について、可能なかぎり紹介しつつ、辿ってみることにしょう。

フランドル美術が開花した15世紀を出発にしつつ、16世紀のブリューゲルから、ドイツなどの北方ルネサンスまで総監できることはうれしい限りだ。

まず通称〈フレマールの画家〉と呼ばれるこの画家の「受胎告知」を語ることからスタートしたい。

小品ながら、フランドル絵画の特質をいかんなく語ってくれる。精緻な細部表現。市民社会の日常生活を再現する室内画。硬い人体表現の中に聖なるものの介在を象徴する。そんな要素が入り混じっている。円いテーブルを囲んで、対となる聖母マリアと天使。閉じられた室内がとても特異である。

ひとときは異色を放つのは、ディルク・ボウツ〔Dieric Bouts〕による「オットー皇帝の裁判」(１４７３―７５)。このボウツは、ハールレムに生まれたといわれるが、定かではない。１４６８年以降、ベルギー最古の大学がある古都ルーヴェン〔Leuven〕の画家として活躍したという。ルーヴェンには、15世紀に創建された「シント・ピーテル教会」があり、そこの宝物美術館には彼の傑作「最後の晩餐」（三幅画）などが残されているという。

フランドル絵画は、教訓性の強い〈裁判画〉というべき新しいジャンルをつくり出した。この裁判画は、1468年に、ルーヴェン市から市役所のために4枚の作品制作を依頼されたもの。公式の場におくための いわゆる〈鑑戒図〉の性格をもっている。実際には、最初の一作のみ完成し、二作目は弟子により完成したという。

サイズもおおきく、2連で一つとなる。「無実の拷問」と「火の証」の2作。伝承によれば、この皇帝の妻は、家臣の領主にいいよられ、それが拒絶されると、この領主は陰謀により罪におとしいれられ処刑させられた。処刑された男の妻は、無実を王に訴えた。彼女は、夫の潔白を身をもって証明するため、真っ赤に燃えた鉄をもって王に訴え出た。奇跡はおこった。皇帝は、無実の者を処刑したことを悔い、みずからの妻を処刑させたという物語である。

こうした〈裁判物〉が主題となるということは、単に過去の伝承の再現や、日本でいうところの〈大岡裁き〉にみられる名君の公正な裁判を顕彰するにとどまらず、商業活動における最も大切な倫理である、正と不正を判断することの大切さを市民に知らしめようとする意図がどうもかなりありそうだ。

必見なのがブリューゲルの2作。「ベツレヘムの戸籍調査」と「イカロスの墜落」。2作とも聖書物語やギリシャ神話をこの地の風景に置換して描いている。絵画としての面白さでは、「イカロス」の方が上であろうか。

迷宮都市クレタ島を設計した大工ダイダロスは、設計秘密がバレないように幽閉されてしまう。大工の息子イカロスは、この都市からの脱出計画をたてる。空を飛ぶ装置を考案する。自分の背中に臘で翼をつける。父は、太陽に近づき過ぎると、臘が溶けてしまうと警告するが、息子はそれを無視して、海へ落下してしまうことになる。これはある種の教訓話でもある。

そんな物語を絵の中に発見しょうとおもっても、見事に裏切られてしまう。ここには、日常の時間がながれている。無心で農耕作業に専念する農夫。それと壮大な海がそこにあるだけだ。イカロスなどどこにもいないようにみえる。しかし、ちゃんと海の方をみると、波しぶきをあげ落下したイスロスの足の部分だけが、小さく見えている。

この絵は、本来の主題性をはるかに越えている。ある種の〈農耕図〉にもみえ、またさらに〈風景画〉や〈海景画〉にもみえるではないか。そうしたもの総てが混在するおもしろさがある。

日本ではまだまだ馴染みのない画家であるが、ファン・オルレイ［VAN Orley］（１４８８／１４８９〜１５４１）がいる。父は画家で、彼を画家へと訓練し導いたという。１５１５年よりネーデルランド総督マルガリータ女公の宮廷画家として活躍した。

彼は多面的に才能を発揮しており、絵画だけでなくカルトーン、ステンドガラス、タピストリーにも実力を発揮した。社会的には、プロテスタント共同体にも共感をもっていたという。最後には、新総督女王、ハンガリーのマリアにも仕え１５４１年にブリュッセルで亡くなる。この美術館にある「Virtur Of Patience」は、マルガリータ女公の命によって制作したが、これは『旧約聖書』の「ヨブの物語」を主題にしており、別名は「ヨブの祭壇画」ともよばれる。神から、この世のあらゆる災難を一身にうけ、その試練をたえて「義の人」として最後には名誉をうける『旧約聖書』の「ヨブの物語」である。

こんな図像だ。左翼には富める者ヨブの家畜が総て奪われる。中央部にはヨブの子供達が、家屋の破壊により死亡するシーンが描かれている。右翼には、ヨブを慰問するひとびとが描かれている。さらに中央部には、ルネサンス的な豪華な建築が描かれている。なかなかな技量をもってダイナミックな空間構成を築いた画家である。

その他、沢山の名作がそろっており全部をかたっていたら終わりがないくらいである。それらの作品の質の高さと量の多さにはおどろくばかりだ。この美術館はもっと高く評価されてもいいとつくづく感じた。ピーテル・ブリューゲル・エルダーの「反逆天使の墜落」も異色である。ボッシュ風の怪奇な図像がちりばめられている。宗教画というよりもむしろ、どこか幻想画のようでもある。黙示録を主題にしているらしい。

ボッシュ（ボス）では「聖アントニウス（アントワーヌ）の誘惑」がある。祖父、父も画家であった。彼らが住んだ地名は、ス・ヘルトーヘンボスである。

アントニウスという聖者は、3世紀に〈上エジプト〉に生きた富裕な農夫の息子であったが、全ての資産を貧者達に分け与え、みずからは砂漠にしりぞき隠者として修業した。彼はまた修道院の創立者でもあり、キリスト教史においても重要な聖者のひとりである。

このように美をめぐる旅は際限がない。どんな美術館を訪れても、今まで知らなかった作品が多くあり、みずからの知識の浅さに恥じるばかりだ。

アントニウスは１０５歳という長寿をまっとうしたが、最初の15年間はさまざまな幻視、つまり悪魔の姿により誘惑されたという逸話をボッシュは映像化した。この主題は、これまでもさまざまな画家の想像力を喚起したが、ボッシュは、これをトリティプル（三幅画）形式の祭壇画に仕上げている。解説書をよむと、この作品のオリジナルはポルトガルのリスボンにある王立古代美術館にあるという。いつかは、このリスボンの真作と出会えるのを楽しみにして待つべきであろうか。現在は、12のレプリカが知られているというから結構な数である。

北方ルネサンスでは、ルーカス・クラナッハの「ヴィーナスとキューピッド」が妖しい裸体美を放っている。冷たい光沢。引き延ばされた細い体と薄い布の細部表現。それにしてもなんと寒々しいヴィーナスであることか。口元の笑みもどこか開放的ではない。このように北方的な空間が凍りつくようにつくり出されている。この画家は、１４７２年に現在のババリアに生まれた。１５００年頃には各地を旅行し、ニュールンベルクやヴェネツィアにも滞在する。１５０４年には、ヴィッテンベルクのサクソニア選帝公に招かれ、その地の人文主義などと深く交遊をした。ヴィッテンベルクのサクソニア選帝公は、１５１７年にルターがこの地の大学の神学教授としていわゆる「95か条の論題」を教会の壁にはり、贖宥状（免罪符）に〈異議あり〉と問題提起したが、その後嵐の如く起こった、ローマ・カトリック教会の迫害からルターを保護した人物でもある。

ルーカス・クラナッハは、この地に50年も住むことで、おのずとこの時代を動かした人物の肖像画を描くことになった。人文主義者メランヒトン、改革者マルティン・ルターとその友人達などである。

それらは、写真のように克明にその人物像に肉薄しており、フランドル絵画の精巧さとはまた一味もふた味もちがった卓越した技量を発揮し、いわばドイツ的な肖像画の伝統をつくり出した。現在われわれが彼らの人物像（肖像）を知ることができるのは彼のお陰のようだ。

このようにこの美術館に収蔵されているひとつひとつの作品を深く鑑賞するには、聖書やギリシャ神話、さらにはその国の歴史についてのかなりの知識がどうしても必要になるようだ。

★近代美術館

この近代美術館は、アントワーヌ・ヴィールツ美術館とコンスタンチン・ムーニエ美術館と共に、ベルギー近代美術を代表している。収蔵品は、19、20世紀の絵画、彫刻、素描などなんと1万2千点を越えている。当初は、ベルギー美術のみに限定していたが、それを拡大し、国外作品も対象にしている。１９３０年以降には、さらに国際的視野にたって収集にあたっている。

この時購入したカタログに収録された論文などを参照してみた。それによると近代美術の範疇と定義をどこに確定しているかといえば、この美術館ではフランス革命の画家ダヴィッドの生誕年に起点をおいているらしい。

この美術館での名作のひとつに、ダヴィッドの「マラーの死」〔La Mort de Marat〕（１７９３）がある。この作品は、フランス近代美術史においても最重要なものであり、本来であれば、ルーブル美術館の壁を飾るべきものであろう。

ただ、この作品がここにあるのには、特別の経緯がある。ダヴィッドは、１７７４年にアカデミーより栄誉ある〈ローマ賞〉をうけ、５年間ローマに滞在し卓越した技を磨いた。実のところ、彼ほど革命に翻弄された画家もいない。フランス革命初期には、ルイ16世の処刑などに賛同し、革命家マラーなどを政治的同志として、革命の推進に同伴するが、共和制や帝政などのいくつかの政治的変節をむかえつつ、最後にナポレオン没落により様相は一変した。王政が復古するウィーン体制時には、ブリュッセルに政治亡命の形で移り住んだ。彼は、１８２５年に亡くなるまでこの地にすむことになる。後半の作品は大きく変化し、神話を主題にした新古典主義の大作をこの地でつくりあげている。

この「マラーの死」は、〈人民の友〉とよばれた革命家マラーの死を題材にしている。画家にとってはいわば同志の死であるが、場面は、風呂入浴中というかんじで、いささか革命家のイメージとは、不釣合なシーンが描かれている。マラーは、水虫のような皮膚病にかかっており、いつも自宅では風呂に身を横たえ、革命に関する演説や起案文などを書いていたらしい。

そこに、シャルロッテ・コルディという女性が、面会を申し出る。女性ということで安心して通すが、彼女は対立グループの暗殺者であった。彼は、なすすべもなく殺されてしまう。その生々しい傷跡が画面にのこされている。手に残された一枚の紙。その記されたメモ。革命家の劇的な死を、あたかもそこで目撃しているかのようにリアルに描きあげている作品である。

ダヴィッドのブリュッセル滞在により、この地に彼の弟子がうまれ、さらに彼の様式を継承する絵画が誕生していくことになる。その意味で、彼はブリュッセル、ひいてはベルギー近代絵画の父でもある。

現在は、すべにのべてきたように、古典と近代という性格の違う美術館が、統合された形になっているが、調べていくと、近代美術館はもともとはここにはなかったようだ。結構紆余曲折がある。はじめプラス・デュ・ミュゼの古い庭園内に、１８０１年に設立された。近代美術の作品は、１９５９年までそこに留まっていた。プラス・デュ・ミュゼの場所に国立図書館の設立が開始され、そのため１９６２年から１９７８年の間は、しばしばベルギー王宮のAltenlohの建物の一部を使って展示していたという。

19世紀美術は、１９８４年６月に古典美術館の部屋に移設され、最後に１９９２年６月に、新しい彫刻ギャラリーがオープンし、すぐれた19世紀彫刻が開示されることになったという。美術館の経歴は、これ位にして、さっそくその展示作品と出会うことにする。この美術館は、近現代美術のおおまかな流れを掴む上でもすぐれた質の作品をもっている。

まずフォーラムを抜け、地下へのエレベーターにのる。小さな部屋をくぐるとナム・ジュン・パイク（白南準）の作品が迎えてくれる。１９３２年韓国生まれ、１９５０年の朝鮮戦争により日本に移住する。日本の東京大学、歴史・哲学科卒の異色のアーティストだ。１９５６年からは、ドイツに住み前衛音楽家ジョン・ケージとも出会うことになる。

彼は、ラジオ、テープレコーダー、レコード・プレイヤーなどの工学メディアを進んで活用した。ピアノに異物をいれて新しい音を探求してみたり、電子工学を応用しつつ、幅広い実験芸術をつくりだしていった。〈電子時代の孫悟空〉の異名をとるほどの自在な遊び心、さらには「禅の精神」のもち主でもある。

ニューヨークでは、前衛グループ「フルクサス」〔Fluxus〕のメンバーとして前衛活動をおこない、その後はアメリカに在住し、ビデオアートやビデオインスタレーションの世界で大活躍した。ここにあるパイクの作品は、「カペラ」と命名されている。教会の礼拝堂を意識したものだろうか。6つのモニターを駆使してテクノロジーによるファンタジーをつくり出している。

この美術館をめぐるためには、さきにものべたが、下へ下へと冥府に下るかのように降りていかねばならない。なんとも不思議な感覚を味わうことになる。そこに案内役のように立っているのが、大きな木彫の「ディアナ」。ギリシャの狩猟の女神ディアナを表現したもの。

オシップ・ザッキン〔Ossip Zadkine〕にとってはめずらしい木の作品である。初期作品であろうか。ザッキンは、ロシア生まれだが、1909年にはパリに移りすむ。彼は当時の新進芸術家であるパブロ・ピカソやロベルト・ドローネー、アレクサンドル・アーキペンコらと交遊する。この知友となったグループは、キュビスム運動を旗挙げしていたので、当然その影響をうけることになる。この「ディアナ」は、1937年の作品ではあるが、顔の造作には、たしかにキュビスムの影響がありありとみえた。一時、戦争中は、アメリカに住むが、またパリに戻った。

さてアメリカのアートシーンのコーナーをのぞいてみる。一時期日本での展覧会や西武系資本のデパートのポスターでも有名となったジョージ・シーガル〔George Segal〕の彫刻がある。この部屋は、とても暗く彫刻にはむかないように感じた。シーガルは、ギブスをつくる時の医学的技術を美術にも応用し、モデルの身体に直接石膏のついたカーゼを当て、〈型どり〉をして人体を再構成した。当然等身大の彫刻ができる。その人体像を都市の街頭風景の中におき、周囲の環境をもつつみこんだ彫刻をみせてくれる。この作品も二人の人物が立ち、その背後には鏡が設置されている。彫刻では、イタリア現代具象彫刻の雄マリノ・マリーニの「ポモナ」がある。マリーニの初期作品に属し、イタリアの先住民であるエトルリア人の豊かな感性に影響されたもの。そこには古代的、母なるものの優美さが、豊かな身体表現でつくりだされていた。

一コーナーには、ニューヨークの路上パフォーマンスで一躍アートシーンに登場し、時代の寵児となり、エイズでなくなったキース・ヘリング〔Keith Haring〕の作品が生命的感覚をみせている。

最後には、デニス・オッペンハイム〔Dennis Oppenheim〕の「Attempt to Raise hell」（１９７４）があった。オッペイハイムは、ワシントンＤ．Ｃの生まれ。彼は、１９３８年より応用芸術を研究する。さらに１９６７年には、最初の〈アース・アート〉を制作する。１９７０年代初期にはみずからの身体を素材にした芸術であるパフォーマンスを始める。かなり過激な実験をおこなった前衛芸術家であり、１９７０年には、毒蜘蛛のタランチュラとのパフォーマンスを行った。５歳になる自分の長女ともピアノを使ったパフォーマンスで共演した。このように伝統を拒否し、通例の技法を使わず、常に身体を素材にしたものを反復して発表している。この作品はなんといって説明したらいいのだろうか。かなりためらった。いや困惑した。始めは、なにがなんだかわからなかったのだ。

最後に全室を見終わって出る時に、どうしても気になってこの不思議な作品と再び対面した。畳がしかれたような床面に凹みがあり、そこに上半身は前屈みとなる座像する人体が填め込まれていた。これだけでは、一見して「東洋人の作品かな」「きっと禅の修業を主題にしたものか」、そんな風にみていた。

だがどうみてもその顔・頭部の前におかれた鐘の説明がつかない。状況からみて、寺で鐘を打つようにし

王立美術館の名品―ロヒールの「7つの秘蹟の祭壇画」

て、ちょうど額の所にあてて音を出すものらしいと判明した。回りには誰もいないので、「では」ということで、実行してみた。この男の人像にはかわいそうだが、ガツンと当たりとても大きな音が出た。なんとも不思議なことをする作家だ。観客も参加する作品のようだ。この音の余韻を耳にのこしながらこの美術館との最後のお別れとした。

3　ロヒールとヤン・ファン・エイク

★ロヒールの哀歌

アントワープの王立美術館は、豊かな経済力を背景にしつつ、市が所有する美術品を展示するため１８９０年に創建された。初代の館長に、ファン・ポール・デル・デ・モントが就任し、次第に全容をととのえていった。コレクションの最初は、画家組合（ギルド）が所有するものであった。

さらに、この地にもフランス革命が波及し、ナポレオンの侵略によりこの地の教会などから名品が略奪された。ナポレオンの没落後、その返却運動がおこり、無事に戻った作品は美術アカデミーに所蔵された。さらに教会所有のルーベンス、ヨルダーンスなどの大作がその列に加わることになる。そのお陰もあり、私達は、特にルーベンスがこの地の祭壇画を飾るために制作した名作をこの美術館の一堂でみることができるわけだ。

またフランドル絵画を飾る各時代毎の巨匠達が勢ぞろいしているのも、この美術館の魅力のひとつである。15世紀絵画では、ファン・エイク、ファン・デル・ヴェイデン、ファン・デル・グース、メムリンクとダヴィッド、16世紀絵画では、ボッシュ、ブリューゲル、メッシス（メッツ）など、17世紀絵画では、ルーベンス、ファン・ダイク、ヨルダーンスなどとつぎつぎと登場する。

まさに数世紀にわたるフランドル絵画史の〈学習〉の場となっていた。この時代の画家群像の全容がここでみられるという訳である。

この美術館で、ひときわ関心をもってみたのが、ロヒール・ファン・デル・ウェイデン〔Roger van der Weyden〕である。というのも、この画家の作品には、感情表現が実に細かにそして見るものの心に波紋を引き起こしてくれるからである。すでに別な本でも紹介しており少々反復する部分があるがくわしく記しておきたい。

私の視点からみて絵画の中に感性や感情をもり込んだ画家。それがロヒールの優れた功績だ。この美術館には、〈200×223cm〉という大作「7つの秘蹟の祭壇画」（1455）がある。カトリック教会の聖なる秘儀から7つを選びとりそれを題材にしたもの。特異なのは、絵の中に聖堂の光景が嵌めこまれていることだ。そのため秘儀や聖母に纏わる逸話をそこから除去していくと、絵はこの聖堂自体を描いたある種の〈建築図〉ともなるのだ。

この絵画の卓越性は、幾世紀かの時間をこえて、この聖堂内でいままさに十字架磔刑があたかもおこなわれているかの様なリアル感をみせてくれる。中央には、とても高い位置におかれた磔刑。垂直にのびる磔刑の柱の下には、悲しみにくれる母マリアと弟子たちが、力なくうなだれている。

この板絵は、いわゆる伝統的な三幅画の構成をとっているが、構成もとても斬新である。上部はアーチ形となっている。それが「トロンプ・ルイユ」（だまし絵）の効果を帯び、それがあたかも絵の中の教会天井にある穹窿の一部にもみえるのである。

さらに、それはこの教会の空間をより一層リアルにみせる磁力を帯びているのだ。特に柱の垂直性と天井の穹窿のカーブが、奥行きのある空間を演出する役割を担っていることにも、驚かされる。こうした空間意匠は、まちがいなく実によく思考された結果つくり出されたものであろう。

さらに画家ロヒールが創り出す広大な空間の特異性について、2、3の観点にしぼりながらすこしのべておくことにする。まず特質として浮上してくるのは、空間構成の方法である。パネル空間の使い方が、とてもすぐれている。狭い空間の中に人物配置し、はりつめた緊張感を醸し出すこの演出には、とても他の画家がどんなに頑張っても太刀打ちできるものではない。

その絶対的といってもいい緊張を味わったのが、スペインのプラド美術館でみたロヒールの「十字架降架」図であった。それとはじめて出会ったとき、本来は大好きだったルネサンス期のどんなイタリア画家も顔色がなくなってしまったのを、昨日のように思い出すことができる。

さまざまな画家達が、なんども何度も描いてきたこの手垢がつけられた主題を、清新な感覚でみるものをハットさせる。これは並の才能ではできないことではないか。空間構成の力学を熟思しているにとどまらず、実に的確に人間の心の動き、ゆれなどを知り尽くしたある種の心理学者でもあると思ったほどだ。

もうひとつの特質は、内心の外化を身体表現であらわすところにある。泣きどころを押さえた表現といえる。別な言い方をすれば、感情と身体との一致といってもいいかもしれない。

ある評論家は、それを「感情の共鳴する場としての風景」と呼んでいる。実に的確な表現ではないか。同感である。この〈感情の共鳴する場〉。それは、間違いなくロヒールだけが創造できたといっても過言ではないはずだ。少々硬く身体をうねらせつつ、そこにパセティックな感情表現をさりげなく持ちこんでいくのだった。

それは、硬直したようにもみえる緊張感あふれる身体の表現によってつくりだされるものであることが、自然にわかってくる。悲嘆のあまり力をうしなって倒れるマリア。悲しみを堪え、涙を隠して顔をそむけるマグラダのマリアなど。感情の高揚が、衣服の彫刻的な表現と出会いつつ、悲嘆の身体表現と絶妙な調和をしているのだ。

ロヒールの空間構成でもうひとつ語っておきたいことがある。それは、〈二重肖像画〉という表現方法をつくりだしていることだ。それは、寄進者と、その人物が礼拝する聖像が対になりつつ、二枚の板絵に描かれたものをいう。

ほとんどの場合は、その寄進者は、祈りをささげる姿勢で、斜めに描かれることがおおい。ただ興奮しすぎてあまりほめすぎてもいけないかも知れない。ロヒールの悪くいえばお涙頂戴の〈センチメンタリズム〉も脈動しているからだ。たしかにそれも否定しないが、単なる〈センチメンタル〉ではないものがここには存在していることに気付かねばならない。このように絵画的には極めて建築的でもあるが、天使が宙に浮くことで幻想性がやや加味されてはいる。それでも空間は荘重にひびいている。

私はロヒールの絵画をみていると、自然とキリスト教音楽にみられる「悲しみの聖母」の主題を思いださずにはいられない。中世以来語りつづけられた〈スターバト・マーテル〉〔Stabat Mater〕。息子イエスの死を全身で味わう母マリア。つまり「悲しみの聖母」の主題。神の子としてのイエスと息子としてのイエスという両義性に心は無残にもひきさかれながら、この両義性を黙して引き受けていくマリアではある。ここではひたすら母としての悲しみに暮れている。では、どんな音楽がこの絵画に符号するであろうか。

私の想像は、勝手に動きだした。この絵の教会堂内で演奏されるべきなのはいったい誰の曲であろうか、そんなことを突き止めたい気がムクムクとわきあがっているのを押さえることはできなかった。はっきりいえることは、モーツァルトのような近代的な音では不適であろうということだ。

やはりこの地の宮廷を舞台にして開花したフランドル派の古雅の音が、一番ふさわしいのではないか。それとも私の好みでいえば、パレストリーナやペルゴレージの曲、たとえばその「スターバト・マーテル」が一番適するかもしれない。

なぜこんなにも、「ロヒールの哀歌」にこだわっているのか。私にははっきりとした理由があるからだ。というのも、私達は、本当の哀歌を歌うことを忘れているように思えるからである。世界各地で数多くの子供が貧と飢えで苦しみ、また民族紛争によりおおくの大地が無辜《むこ》の民の血をのみこんでいるではないか。この瞬間も、いましも多くの母が、死せる子供を抱きつつ嘆き悲しんでいるではないか。いや、その悲しみの涙さえ枯れているではないか。

人間の存在の危機は、意識の危機でもある。人間そのものが枯れた樹のように横たわっているではないか。今こそ、心から哀歌を歌うべきなのだ。虚的な仮面をかぶり、その下に素顔を隠してはいけないのだ。不正と虚偽に対し怒りと悲しみを忘れた人物はもはや人間とはいえないはずだ。仮に生きていても〈死んだ人間〉なのだ。そんな〈死んだ人間〉がなんと多いことか。人間存在そのものが無価値なものとして路上の石のように、打ち捨てられている。その石は聾を奪われているのだ。

すでに、17世紀にファン・マンデルは、『絵画の書』（１６０４）において、「ロヒールは悲しみや喜びや怒りなどの心のすべての動きを表現することによって、ネーデルランド絵画に多大な貢献をした」と評価しているではないか。

当時の17世紀初頭の人たちにとっても、彼が描き出した哀歌とその涙は、痛切に心をゆり動かしたにちがいない。その中には、戦いや病気や事故により、みずからの子供をなくした母もふくまれていたはずである。無数の母の普遍的な涙。世界中で流される哀歌の響き。それが、ロヒールのこの作品と共鳴しているのではないか。いや、共鳴という表現はあわない。魂の奥での共響というべきではないか。

実際のところ、私の耳には、この絵の前でパレストリーナの「スターバト・マーテル」の音を聴いたような気がしたが、それは幻ではなかった。この年の10月札幌に初雪が降った9日、その「スターバト・マーテル」の曲を聞くことができた。それを聴きながら、やはりあの時に、耳に聞こえていた響きは、これだったと想ったほどだ。

札幌の音楽ホール Kitara の小ホールで、イギリスの声楽アカペラグループ、プロカンツォーネ・アンティカ演奏会の最後にそれは演奏された。演奏会そのものは、〈グレゴリオ聖歌と荘厳なるポリフォニー〉による構成となっていた。対訳を参照しながら、詩の内容を心で砕きながら聞いた。

それによると、「スターバト・マーテル」は、〈聖母マリアの7つの苦しみの祝日のセクエンツィア〉と題されていることが分かった。

「悲しみに沈めるみ母は涙にくれて、／み子が掛かりたまえる／十字架のもとにたたずみたまいぬ。／嘆き悲しみ、／苦しめるみ子の魂を／剣が貫きたり。／おお、神のひとり子の／祝福されしみ母は／いかに悲しく打ち砕かれたまいしか。／尊きみ子の苦しみを嘆き悲しみ、／うち震えたまいぬ」

この訳は、なんと秀逸のことであろうか。古語体が全体の曲調ととてもマッチしているではないか。詩は、さらに母マリアの人間的な苦しみに共感しつつ、哀感を含み、言葉に霊力をこめつつマリアの信仰を高く賛美する。いわく、〈愛の泉なるみ母よ〉〈聖なるみ母よ〉〈乙女の中のすぐれたる乙女よ〉と高揚しつつ、最後には、〈おお乙女よ／審判の日に、／火をつけられ、熱せられるわれを／御身によりて守らせたまえ〉と祈りが捧げられるが、特に感銘を受けたところは、マリアの死と苦悩を共有せんとする受苦の姿勢である。〈み子の御傷をもってわれを傷つけ〉と歌われる。つまり〈苦の共有〉である。

この曲につき動かされながら、私は、「7つの秘蹟の祭壇画」のことを、いま一度おもい描いていた。ロヒールが描く聖母達の悲嘆が、強く見るものの内心（特に感情として）に切り込んでくるのは、このすぐれた〈受苦の表現〉ではないのか。〈マリアの受苦〉を介在しつつ、みずからもこの苦しみを共有しようとする。これが、ロヒールの絵画性の本質ではないのか。そのことを祈りつつ筆を動かした画家ではないか。そんなことをおもわしめられた一夜であった。

最後に、この画家について手短に紹介しておくことにする。生年は確定されていないが、1399年か1400年にトゥルネに生まれている。1427年には、カンパンの弟子となり修業を積んでいる。1435年には、ブリュッセルに移住している。1450年には、イタリアを訪れているが詳しい滞在地などは分かっていないという。１４６４年にブリュッセルで死を迎えている。

その後ネーデルランド絵画は、この画家を抜かしては語れないといわれ、ヤン・ファン・エイクの後継者としても名声を高めた。

これだけの技量をもっている大家でありながら、その実像はさだかではないという。その理由のひとつは、この画家は、作品にみずからのサインをしていないためという。年記と署名のある作品は、ひとつもないというから驚きである。研究者の調査によれば、かろうじてスペイン王家に送った目録のなかに4点の作品（その内の3点が現存している）が含まれており、それが彼の作品制作の基準となっているというのだ。

それはどういうことであろうか。つまりこの4点が、他の作品がロヒールの作品の実作であるかという判定基準となっていることを意味する。〈作品が作品を判定する〉こんなこともあるのだ。

今回のオランダとベルギー各地の美術館めぐりの旅で、このロヒールとの再発見は、もちろんフェルメールとの出会いもかけがえのない喜びであったが、それにも勝るとも劣らない、私にとっても至上の歓喜となった。

いろいろとロヒールのことを調べていたが、世界中にちらばっているロヒールとの再会ができたらとても素敵なことではないかと思うようになった。

まだ見ぬロヒールの作品との出会い。それは、ある別離の作品との出会いをもとめる旅になりそうである。「聖母子とジャン・グロの肖像」という作品がある。二連画形式を具有している。片方には聖母子、片方には手をあわせるジャン・グロなる男が描かれている。

ただ現在、この二連画は別々の美術館に所蔵されている。聖母子の方は、彼の出生地フランスのトゥルネ美術館に在り、ジャン・グロの方はアメリカのシカゴ美術館に所蔵されている。美術書（画集）の中での出会いなら簡単ではあるが、実際はそう簡単なことではない。私はこんなことを夢想した。二人は、別離状況にあるが大西洋を隔てて対話している、と。シカゴ美術館の一部屋に飾られたジャン・グロは、今もフランスの地に向かって手を合わせているにちがいないと……。

この二人の真の出会いをつくるためには、両方をひとつの壁に、右にジャン・グロを配置し、左には、聖母子を隣合わせてる必要がある。そんな出会いが実現できたらなんと素敵なことではないだろうか。もしも、それが実現できるとするならば、やはり彼の出生地トゥルネにおいてではないだろうか。かりに彼が１４００年生まれとすれば、２０００年がちょうど生誕６００年祭となる。どこかの美術館でそんな構想を実現してくれないだろうか？まちがいなくそれを願っているのはロヒールだけでない。画家ジャン・グロと聖母子ではないだろうか。

★ヤン・ファン・エイク〔Jan VAN EYCK〕の「聖バルバラ」〔de Heilige Barbara〕など

この美術館には、とても小さいがヤン・ファン・エイクの中でも、特に私が好きな作品がある。板絵で油彩。〈30×18㎝〉という版画サイズのもの。いま油彩画と記したが、実際は素描の感じである。研究者によっても論議の別れるところらしく、下絵説、完成作説、素描による完成作説などいろいろあるようだ。

フランドル絵画の研究者である幸福輝は、単色に描いた〈グリザイユ画〉として位置付けている。この〈グリザイユ〉とは、単色で彫刻のように立体的に人物などを描く手法のこと。ファン・エイク兄弟の「ゲントの祭壇画」にもそうした画法が使用されている。

さて、この画像であるが、主題は「聖バルバラ」である。ペルシアの大守ディオスクロスの娘バルバラは、異教徒の父によって塔の中に幽閉され殉教した。しかし、彼女はひそかに外部と連絡して教えをうけ、2つしか無かった塔の窓をさらに1つ作った。3は〈三位一体〉の信仰を現わしているという。その聖バルバラが幽閉された塔が、背後に描かれているが、それは架空のものではあるまい。画家自身が、実際にみたゴシック教会を実写したものとなっているようだ。

ヤン・ファン・エイクは、この絵画の空間構成においてとても斬新な方法をとっている。バルバラを小高い丘の上に座らせ、背後の広場には、教会を置き、さらにその後ろには、田園風景を描いている。バルバラは下を向きつつ、とても長い棕櫚の枝を手にしている。慈悲の力を示すかのように大地に広げられた衣服の描き方が、〈グリザイユ〉的だ。

背後は、ブリューゲルの「バベルの塔」の絵にみられるように建築現場風に描かれている。そこで働いている石工なども細かに描写されている。それにしてもこの聖女は、なんと堂々としていることか。人間の営為の総和としての建築よりも雄大であり、広大であることをあたかもいいたげである。

この絵に私が特に興味をもつのは、その線の美しさが存するからだ。銅版画のように線が生気を帯びている。殉教の証としての棕櫚の枝、バルバラの長い髪の細部表現は卓越している。それゆえ、この作品を私はどうしても彼の卓越した素描としてみてしまうのだが……。

さてこの美術館には、15世紀フランス絵画を代表するジャン・フーケ〔Jean Fouquet〕の「聖母子像」があるが、それは一風変わっている。

ひとことでいえば、15世紀の作品とは思えない位に、現代的でシュルレアリスム風であると。宝石に飾られた王座は、いかにも豪華絢爛であるが、聖母は、胸をはだけている。この胸をはだける姿は、〈授乳〉を示唆している。また〈授乳〉とは、キリスト教的には、神の恵みのシンボルともなる。かってこの作品を画集でみていて異様な色彩美にとても驚いたが、この場でみると色彩も落ちてきて、それがほとんど気にならない位だった。赤と青の天使達。その記号的意味を探ってみたい。ここで購入した『Old Masters In The Royal Museum Of Antwep』の解説によれば、青は、〈純粋〉を、赤は、〈愛のシンボル〉になるとかかれていた。

またそのほかにも、青は〈夜の天使〉を、赤は〈日中の天使〉とみる見方もあるという。

どうも私達は自分が生きた時代感覚から物事を判断してしまうようだ。15世紀という中世末期の人たちの色彩における象徴性を知ることが、この作品を理解する上でなにより大切なようだ。つまり色彩と象徴性は不即不離の関係にあるのだ。中世では、このように現在とは異質な色彩学が一般的であったようだ。私としても、さまざまな中世絵画をみてきたつもりであったが、こういう視点ではみたことはなかったから、新しいことを知らされたおもいだった。

この事が気になって、オランダの歴史家ヨハン・ホイジンガの名著『中世の秋』を紐解いてみた。そこには、このような色彩にまつわる話がのっていた。『中世の秋』は、サブタイトルを、〈フランスとネーデルランドにおける14・15世紀の生活と思考の諸形態についての研究〉という。そこに〈美の感覚〉と題された一章がある。そこには、王族や貴族の衣装や紋章などについて、当時の紋章官シシルなる人物の著述「色の紋章」が引用されているので、すこし紹介しておきたい。

「紋章官シシル」には、色彩の美についての一章がある。それがとてもナイーブなのだ。赤は、一番美しい色だ。褐色は、いちばん不快だという。彼のいちばんの好みは、自然の色、緑のようだ。彼の推奨する色の組み合わせは、白っぽい黄色と青、オレンジ色と白、オレンジ色とバラ色、黒と白などをあげている。黄色と青、オレンジ色とバラ色とか、このようにかなり過激な色彩対比が流行していことがわかる。とすればジャン・フーケの異色性を放つ色彩配置は決して特異なものではなかったともいえそうだ。

ホイジンガは、祭で、菫色の絹服に身をつつんだ娘が、青絹の鞍被いをつけて馬にのり、朱色の絹服に、緑色の絹色の帽子をかぶった三人の男に先導されるのをみたという記録文書を記載している。

現在の私達の感覚でみると、華麗というよりも大胆な色彩感覚が当時としては、普通であったということらしい。どうも私達は、自分が生きている時代感覚にもとづいて美の感覚を規定しすぎるようだ。

この美術館には名作の誉れたかい作品が目白押しであり、眼は休まる暇はない。メッツィスの「キリストの埋葬の祭壇画」がある。ロヒールの感情表現を継承しつつ、静謐なかに劇的な構成をみせ、悲しみの形象をつくり出している。

風景画の要素を大胆に絵画の中にもちこんだパティニールの「エジプトへの逃避のある風景」は、聖書の主題がなんであるか分からないほどに、風景の方が主役となっている。この画家は、現在のナミールやディナン地域の出身者であり、彼の風景によく登場する切り立ったような岩や崖は、彼の故郷の実景でもあるという。今回は、この2つの地域を訪れたので、特に興味ぶかくおもった。

ここには、パティニールの「槍のひと突き」や「東方博士の礼拝」などの大作やデッサンなども納められている。特別の一室に並べられた作品群は、壮観である。下から見上げられた構図の「槍のひと突き」は、ニコラス・ロコックスの依頼により、アントワープにあった「聖フランシスコ派教会堂」の主祭壇画として創作されたもの。キリストと2人の盗賊の肉体表現と、めずらしく馬上から槍を突く兵士の力動と、十字架の下で悲嘆に暮れるマリアなどの表情の対比が印象的だった。

また、ハンス・メムリンク〔Hans Memling〕の大作である「奏楽の天使達にかこまれるキリストの祭壇画」からは、今しも雅の音楽が聞こえてくる作品である。雲上での奏楽であり、いまにも天上の音が聞こえてきそうである。三幅画形式でありつつも、横長サイズが特徴である。

当然ベルギーのどこかの教会を飾っていたものと思ったが、調べてみると全くちがった。スペイン、カスティーリアのナヘラにある「サンタ・マリア・ラ・リアル教会」の大きなオルガンを飾っていたものという。オルガンの側におかれた状態を想定してみると、さらにいろいろな楽器がここに描かれているこ とに大きな意味があることに気付かされた。よくみると有翼の天使は、さまざまな古楽器を演奏しているではないか。竪琴、笛、バイオリンなどがここにある。まさしくこの絵自体を別の視点でみれば古楽器の〈博物館〉のようでもある。

4　ブリュッセル建築めぐり

★オルタ邸〔Musée Horta〕

ブリュッセルを４日間にわたって滞在する計画をたてたが、一日だけ月曜日となった。ほとんどの美術館はクローズなので、ウィーンの時もそうしたが、市内の建築めぐりを計画した。

さて、この都市が、近代美術において特に重要なのは、〈アール・ヌーヴォー〉が誕生したことであり、また世紀末芸術のひとつの流れとしてベルギー象徴派が開花したことにある。

まずブリュッセルの中心街を少し外れたアメリカ通りの23番地を尋ねた。建築家ヴィクトル・オルタの自宅をみるためである。そこが現在オルタ美術館となっている。

「ヴィクトール・オルタ」〔Victor Horta〕は、アール・ヌーヴォー様式の先駆者であり、アール・ヌーヴォーはこのベルギーで誕生したといって過言ではない。この地ではオルタの先駆的仕事を、数多くみることが可能だ。その代表的建築が、ポール＝エミール・ジャンセン街につくられたタッセル邸（１８９２―９３）である。

タッセル邸については、写真でみている程度で未見ではあるが、その美術的価値はとても高い。「その室内装飾は一部変更されてはいるが、それでもペンキの下にはオルタの大胆な試みが今もってうかがえるのである。すなわち重厚な壁における優雅な線の戯れ、手摺りや鉄の格子のダイナミックで彫塑的な効果、ガラスの扉やモザイクなどに見られる多彩なきらめき、そして最後に忘れてはならない自由な建築的な空間感覚がそれである」（S・T・マドセン著『アール・ヌーヴォー』美術公論社）と的確にのべられている。ベルギーにおいて、鉄が最初に使用されたことでも記念碑的な建物という。

通称〈アール・ヌーヴォー〉とよばれる芸術運動であるが、それには多様性があり、また歴史的風土を反映しつつ、国毎にも変容し多様な顔をみせている。その先駆的役割を果たしたのは、イギリスの美術工芸運動（アーツ・アンド・クラフト）があることが現在では、一般化している。

社会思想家でもあるウィリアム・モリスは、産業革命後、機械により生産される規格品が氾濫することを憂い、工芸品再興をうちあげた。さらにプレ・ラファエッロ派がそれにつづき、装飾性や生命力（有機性）をもつ形態として引き継いだ。〈日本趣味〉も流行し、それに拍車がかけられる。生命的な形態賛美やゴシック的な装飾の復活は、世紀末の象徴主義の雰囲気と相乗され、特異な美意識をうむことになる。その一大実験の場がブリュッセルであったのだ。

オルタについて、すこし紹介しておくことにする。ゲント（ガン）生まれの彼は、17歳でパリに出て、アカデミー・ボザールで学んだ。最初は、新古典主義のアルフォンス・バラを師として仰いだ。つまり伝統を踏まえつつ、そこから革新的な作品をつくり出した訳である。

ただ、オルタのデザインは、時代とともに変動している。鉄とガラス素材による革新的作風は、邸宅にとどまらず、時代の子らしく社会主義思想にも共鳴をしめし、社会主義者の殿堂たる「人民の家」（１８６５—

99)も設計している。さらにブリュッセルのアル・イノヴァシオン・デパートやフランクフルトのグランド・バザール・デパートなどの大きな建築にも手を染めている。

彼の影響を真っ先にうけたのが、フランスのエクトール・ギマール〔Hector Guimard 1867―1942〕であった。ギマールは、タッセル邸を見聞し、新様式をパリに持込み、「カステル・ベランジュ」を完成させた。それ以後、さまざまな〈アール・ヌーヴォー〉建築や工芸品が世紀末パリにおいて登場することになる。

ではオルタ邸にアプローチしてみよう。そとからみると一見なんの変哲もない建築にみえた。

彼は、一時期この場所を自宅として使用した。現在は、美術館となっている。外からみると、二棟があたえられているのがわかる。入口玄関の所で、東洋系の男性がなにやら偉そうに入場者を整理し動きまわっている。ガイドの小池さんが、先に入り入場券を購入してくるまで、玄関の左横の部屋で待機させられた。なかなか面倒くさい。小池さんが帰るなり、「ここではガイドできない」といわれましたという。「声を出して説明したり、会話してはいけない」とは何事かとおもったが、「先生もダメですよ」といわれさらに驚いた。ただ写真は大丈夫だった。ひたすら眼で確認し、眼でこの希有な建物の細部を堪能せよということらしい。中に入ると、確かに奥行きはあるが、階段などとても狭く決してゆとりのある空間ではない。それでも外からみえないが、奥には庭園がつくられ広い窓からの庭の風景は、とても優美であった。四階建てであり、部屋数も20あまりある。一部屋には、オルタ邸宅の白いモデル(マケット)が置かれている。その奥が、書籍コーナーとなっていた。部屋がおおく、何階にいるか分からなくなってしまうほどだった。ダイニングルームには、天井から吊された照明器具、部屋を区切る天窓のステンドガラスから始まって、家具デザイン、暖炉、壁の浮き彫り、床のモザイク、中央におかれた木のテーブルと椅子などトータルにデザインされていた。ここには驚くべき美がある。眼はゆっくりと細部に驚きの声をあげた。別な部屋におかれた絶妙なカーブをえがくソワーは、優美な起伏を帯び、ここに腰掛ける者をやさしく愛撫する。〈細部に神はやどる〉という有名な言葉があるが、それは、この空間のためにあるのではないかとおもったほどだ。もう一つ感銘をうけたことがある。この建築空間では、素材同志がとても親密かつ優美な出会いをしていることだ。ここでの美の演出家は、大理石、マホガニーの木、近代的素材としての鉄とガラスである。それが、オルタの造形思考と和合して不思議なアンサンブルを奏でていた。冷たいものと暖かいもの。硬いものと軟らかいもの。それらがもつ素材感が変化、加工されてさらに高い次元へとひきあげられているのがわかる。硬い鋳鉄がとても軟らかく変更されている。またガラスの冷たさが、黄色の衣装をきせられることで、なんと暖かさを醸しだしていることであろうか。それにため息がでた程だ。さてこの建物の価値は、アール・ヌーヴォー様式に関する博物館の様相を呈していること。この観点で、もうすこしみてみることにする。

この自宅は、オルタの建築デザインの見本場であり、注文主は、実際にこの場にきて自分の建築について相談したという。この建物に、より強く有機性を与え、部屋毎を繋いでいるのは螺旋形の階段であった。中央に蔓のようにのびあがる階段の手摺り。そして、天井には、黄色系のステンドガラスがはめられ、とても軟らかい光を降下させていた。屋根部分まで狭い階段を上っていくと、頭がステンドガラスにつきそうになった。そこにはこんな人々もいた。建築デザイン関係の人であろうか、一枚ずつ色紙見本をあてつつ、少々色あせ剥げてきている手摺りなどの色彩を丁寧に確認していた。まさに、近代デザインを学ぶものにとっては、「生きた見本空間」になっているようだ。それにとどまらず、オルタ自身が建築し、みずからが生活していたこの空間は、20世紀において〈人間の住まい〉と〈装飾〉の関係をさぐる上でもとても貴重な場所でもあり、もちろん実験家オルタが作り出した価値の高い空間を味わう場でもあるのだ。外に出ると、別なグループが建物を眺めながら話をしていた。そのフランス語の内容を小池さんがかいつまんで紹介してくれた。それによるとアール・ヌーヴォー様式のこの建築は、幾何学的なアール・デコが主流となるとともに、すでに時代遅れとなり、オルタ自身はこの建物に住む訳にはいかなくなって、この建物を出て別な空間に移りすんだという。いつの時代でも、建築家というのは、時代の風潮や注文主（クライアント）の要請に敏感に反応するためには、自分の建築デザインをつねに超越していく宿命があるようだ。事実、オルタ自身も、１９１６年から１９１９年まで、アメリカに滞在した後は、作風を大きく変動させた。いつしか植物的曲線は消え去り、それに代って直線が主役をしめはじめた。機能性と合理主義の美学が新しい時代の様式となってきたためである。たしかに20世紀という時代は、「アール・デコ様式」〔Art Déco〕へと大きく変動し、都市建築は、さらに時代に即応した美と機能を要求して動きはじめるのだった。アール・ヌーヴォーの装飾過剰な美は、次第に関心の外におかれていくのであった。

『THE HORTA MUSEUM』図録

★ストックレー邸〔Palais Stoclet〕

先にものべたが、この地は、アール・ヌーヴォーの建築が開花した場所としてもっと鮮明に記憶されるべきである。どういうわけか写真などでエクトール・ギマール〔Hector Guimard〕のパリのメトロ（地下鉄）デザインなどが一般的によく知られているため、パリからアール・ヌーヴォーが誕生したかにみえるが、それは正しくはない。正真正銘、〈アール・ヌーヴォー〉は、ベルギーで誕生しヨーロッパ全体に伝播していったのだ。

それを詳しくのべてみよう。それは１８９０年代のことである。芸術の革新機運がたかまり、芸術誌『近代芸術』が１８８１年に創刊された。新グループ「20人会」〔Les XX〕が結成され、さらに拡大されて１８９４年にはグループ「自由美学」〔La Libre Esthétique〕が創立され、各国の新進グループとも活発な交流を開始した。

この地で活躍した建築家には、いまのべてきたオルタ以外にも、「20人会」のメンバーでもあったアンリ・ヴァン・ド・ヴェルド〔Henry van de Velde〕もその群に加えるべきであろう。またポール・アンカールは、この地ではよく知られた建築家であり、シャルルロワ通りの住宅や、シャンベラーニ邸などを設計している。新印象派の画家としてデビューしたアンリ・ヴァン・ド・ヴェルドは、イギリスの装飾芸術に影響をうけ、デザインにおいて「ベルギーの線」を確立し、新しくみずからの名を冠にした商会を開店させている。

ヴェルドは、ビング商会が開いた「アール・ヌーヴォーの店」の室内装飾も担当していたが、実はこのビング商会は、日本美術の紹介においてもとても重要な会社となり、「ジャポニスム」を流行らせる媒体となった。

このビング商会の経営者はサミュエル・ビング〔Samuel Bing〕といいユダヤ系ドイツ人だった。日本の美術や芸術を広く紹介した美術商であった。

さてこの地では、オルタのデザインした他の建築を現在も見ることができる。その一つは、「漫画博物館」である。ホテルからも遠くはなく、サン・ミッシェル大聖堂〔Cathédrale des Sts Michel〕の近くにあるこの場所を早朝に訪れた。時間の関係で外観だけでもみようとバスをおりて旧名のウォーケ館を目指した。サボテンを片手にした、なにやら愉快なマンガのキャラクター像が立っていた。階段をおりた。中心部から離れているということもあり、この近辺は開発からとり残されたような気配の建物がならんでいる。窓ガラスも壊れ廃墟となっているものもあった。一人の男の人がドアをあけて博物館に入った。それにつき従うようにして内部に入った。すると、外観とはちがい雰囲気が一変した。ステンドガラスからさす光と鉄を使ったこの建物がとても優雅にみえた。内部を見学する時間がないので、エントランスの所で写真だけを撮影した。

この漫画博物館は、ベルギーを代表するマンガキャラクターである、ニッカーボッカーの半スボンをはいた〈タンタンの記念館〉ともなっている。このマンガの作者は、エルジェ〔Hergé〕なる人物。元は新聞記者であった。彼は、ベルギーの新聞の子供版にみずから漫画をかきはじめた。このタンタンの相棒である白い毛の愛犬スノーウィと共に一躍人気ものになった。「タンタンの冒険」シリーズは、ヒットがつづき「黒い島の秘密」など、合計22冊にもなるという。現在は、世界的キャラクターとしてテレビＣＭにも登場している。

日本でも、サザエさんの長谷川町子、鉄腕アトムの手塚治など、漫画の美術館も設立されているが、これほどの由緒ある建物が活用できるとはとても幸福なことである。現在、日本ではさまざまな町、村興しがされており、道内では東川町が国際的写真展を開催したり、夕張のように国際映画祭などを実施しているが、今後は、子供の文化とかかわる漫画や絵本などを基盤にした町や村興しも必要ではないだろうか。

たとえば絵本では、イタリアの中世都市ボローニャの国際コンペが有名である。こうした文化を基軸にした活動は、実をむすぶまでにかなりの時間と経費がかかるが、未来文化の担い手である子供のための文化育成は、ますます必要になるはずなのだが……。

さてもうひとつ、建築でぜひとも内部見学ができればと切望したものに、ストックレー邸がある。

このストックレー邸に行くまでの風景はとても素晴らしかった。この都市は、ニューヨークと比較できるほどに緑がおおいという。それが決してオーバーな形容ではないことを物語るようにして、至る所に公園と森があった。水鳥が休息する池を横にみつつ、ポプラやマロニエの木々の間をぬって散歩する人々がそこかしこにみえた。森で有名なのは、「ソワーニュの森」。その入口が「カンブルの森」〔Bois de la Cambre〕と呼ばれ親しまれている。けやき、樅、シーダなどの大樹が茂っている。この「カンブルの森」を通ってブリュッセルの南西23キロのところに、ワーテルロー〔Waterloo〕の古戦場がある。私達は、時間の関係で訪問先から外したが、そこはナポレオンが史上有名な「ウィーン体制」に反発して、幽閉先のエルバ島から脱出し、フランス・イギリス連合軍と最後の戦いをして敗北した歴史的場でもある。そこには、塚の上にライオンがおかれているが、そのライオンはフランスの方を見下ろしているという。

3日間みてきたものがほんの一部であると実感したのは、テルヴェラン通りにある「ストックレー邸」〔Le palais Stoclet〕を目指してバスを走らせた時である。少し郊外にある森の周辺や高級住宅地を見て回ると、もう一つの素顔が透けてきた。市内のイスラム系やトルコ人の多い地区とは、さらに「グラン・プラス」〔Grand-Place〕のような中世のまま時間停止した場とは違う、異文化が混在する別世界が在った。

大使館や領事館や大学、専門学校など隣接し、広大な庭をもつ高品位の風情をふりまいている住宅がある。階級や地位と富の差は歴然とあった。あまりの優雅さにため息が自然とでたほどだ。そんな高級住宅地の延長線上に「ストックレー邸」が建っていた。

さてこの邸宅であるが、東京にあるベルギー観光局にも見学できるように正式に依頼していたが、この邸宅の所有者から特別許可をうけるまでにはいかなかった。残念ながら外観を眺めるにとどまった。

それは広い道路に添うようにして建っていた。この私邸の所有者アドルフ・ストックレーは、鉄道技術者として成功し、ついには大実業家となった資産家の一人である。彼は、ある時ウィーン滞在中に新しい芸術運動を推進した「分離派」（セセッション）の溜まり場となっていたカール・モルの家を訪問した。

その家の建築は、「オットー・ワーグナー」〔Otto Wagner〕の後継者であった「ヨーゼフ・ホフマン」〔Josef Franz Maria Hoffmann〕によるものであった。その清楚で現代風の建築言語に感動したストックレーは、新居の設計を依頼した。調べてみると、ヨーゼフ・ホフマンは建築素材として、四角形のなかに北欧産の大理石をはめた。「アール・デコ風」の塔部にはモニュメンタルな人像を設置するやり方や、プレートの張り合わせによる壁面をつくり出すなどに、たしかに「分離派」の臭いがたちこめているという。

しかし、分離派建築の臭いはさほどきつくはないようだ。むしろガラス素材などを使用し、それらが建物に軽快さを付与しており、全体の印象はどこか「アール・デコ風」のたたずまいをみせた。可能なかぎり細部を確認するため、道路を渡って門扉まで接近した。見えざる神か霊の導きで、特別許可をうけて内部空間を見学できたウィーンでのアム・シュタイン・ホーフ教会のように再び〈奇跡〉がおこるのではないかと、期待をしたがそうはならなかった。玄関には、扉を開けてくれる人はいなかった。冷たく鉄の扉は閉じたまま。内部をみることはできなかった。諦めきれない感情をおさえつつ、可能なかぎり、この建物の表情を写真におさめようとシャッターを押した。

実は、この建物は、ウィーンの「分離派」とブリュッセルとの熱き交流があったことを示す記念館の性格をもっている。特に内部装飾や家具などは、「ウィーン工房」のデザインの生きた展示場となっているのだ。彼らは芸術家職人たちによる美の創造、つまり〈総合芸術〉〔Gesamtkunstwerk〕を提唱した。ホフマンは、1903年にコロマン・モーザーと「ウィーン工房」を結成したが、その幾何学多的模様はのちの時代に多大な影響をあたえた。

また、ストックレー邸の一部屋には、グスタフ・クリムト〔Gustav Klimt〕のフリーズが置かれている。それは、華麗な金地による「生命の樹」が描かれている。自宅の部屋の内装や食堂の装飾をクリムトに描かせた。なんと贅沢なことであろうか。その下絵は、ウィーンのオーストリア応用美術館に所蔵されているが、それには「生命の樹」が主要のデザインとなっている。1911年に完成するが、そこにはとても高価な大理石、銅、金、宝石、珊瑚などが材料として華麗にちりばめられたという。それは、抽象化された装飾美の実験となった。わざわざ貴重な時間を潰して「ストックレー邸」まで足をのばしたのは、まさにこの「ウィーン工房」とクリムトのアートワークをみたかったからだったのだ。これはあとから知ったことだが通りからは見えないが、建物の後部には庭園がつくられているという。

外からだけだったがストックレー邸をみたあと、「サンカントネールの門」まで足をのばした。通称、「ブリュッセルの凱旋門」と呼ばれる。レオポルド2世の命令で国家独立の50周年記念として建築されたもの。どうみてもパリの「凱旋門」や「カルーゼル門」などを意識して模倣したとしかいいようがない外観をもっている。巨大だが陳腐。観光名物となっているようだが、残念ながら独創性が足りない。この門の側には、付属する様にして歴史博物館がありギリシャ古典文化やアジア文化のコレクションを収集している。

建築ということでは、ここには異色の建造物がある。ブリュッセルの北に位置するアンベルスルートの出口に、国王が居住する「ラーケン王宮」〔Royal Greenhouses of Laeken〕がある。ルイ王朝様式の18世紀の建築である。欝蒼とした森の中に在り、中を見ることはできないが、興味深いのは、この森の中に東洋建築があることだ。王宮と東洋建築とはまさしくミスマッチにもみえるのだが……。

これは、レオポルド2世が、1900年にパリで開催されたパリ万博のワールド・ツアーのセクションに出品した日本館のパビリオンを運び出しフランスの建築家アレクサンドル・マルセルに再建されたもの。建造にあたって木工芸や、銅のプレートなどを上海や横浜の工房で制作させ、外の部分には、ヨーロッパの工芸家にも参画させたという。こうして東西の技能が混在した東洋美をつくり出すことになった。色は退色しているが特有の色彩感覚をみせる中国風建築もある。一帯は、エキゾチックな雰囲気につつまれていたのだ。

しばらくの間、この建物はクローズされていたが、五重の塔は、1989年より、中国のパビリオンは

１９９５年より開館している。現在は、五重の塔の空間は、適時開催される展覧会の会場ともなっているという。収められた数々のコレクションと、それらの空間は、いまや東と西の接触と交流の〈生きた証人〉となっている。ブリュッセルで見る五重の塔。京都や奈良にいるようななんとも不思議な錯覚に襲われた。

バスを走らせ、森を抜けると広い「ラーケン公園」〔Parc de Laeken〕に出た。19世紀後半から20世紀にかけて、「万博の時代」が訪れた。各国は各地で開催された「万博」に参加し、こぞってみずからの歴史と文化を宣伝し、新しい技術進歩を鼓舞するためのパビリオンやモニュメントを建設した。先に紹介した日本が建造した五重の塔もそのひとつである。ブリュッセルにおいても、１９５８年にこの公園を主会場にして万博が開催された。

ストックレー邸外観＊

その記念に建造されたのが、「アトミウム」〔Atomium〕である。いわば大阪万博の目玉となった岡本太郎の「太陽の塔」に匹敵する異色性をみせている。これは、アルミニウムを素材にしており原子力時代を象徴し、〈鉄の原子構造〉をとてつもなく拡大（なんと１６５０億倍に）したもの。高さは、１０２ｍもある。現在みてもびっくりするほどの迫力をもっている。当時としては実験的な作品であった筈だ。現在は、そこにレストランもあるという。中央球体は観光スポットとなっている。

5　アルデンヌ地方――ナミール、ディナン、デュルビュイ

★ワロニー〔Wallonie〕

ベルギーの東南部地方にアルデンヌ地方がある。平坦な北とは違って緑と川にかこまれた風光明媚な風景がつづいている。

この地方は、ワロニー〔Wallonie〕と呼ばれる。またその人たちをワロン人と呼ぶ。

ベルギーの南半分にあたるこの地方には、モンスを州都とするエノー、ナミール〔Namur〕を首都とするナミール、リェージュ〔Liège〕を州都とするリェージュ、アムロンを州都とするリュクサンブールからなっている。ほぼ共通してフランス語を話す圏である。この地方はドイツとルクセンブルクに接し古代ローマ時代より交通の要所として栄えた。さらに中世期は、伯領や王国として伝統を保っていた。鉱物資源が豊かであったことで、この地は、産業革命の中心地となり、重工業を発達させ北のフラマンとは異なる経済形態を誇った。

特に、ナミール地方は、ヴァレーカントリーとも呼ばれる。ロッククライミングの絶好の場所となっている。この地方紹介の観光パンフレット（英語版）を参照しながら、もう少しくわしくのべておこう。地理的には、北海とエイフェルの間、ピカデリーから低地地帯まで、マウンテン・スロープがつづいている。ヨーロッ

パ各都市からもとても近くにある。アムステルダムから２８０km、ケルンから１７０km、オランダの南に位置するマーストレヒトからは98kmというから、決して遠くない距離である。豊かな食事や豊かな谷と風景を形成するのは、すべてミューズ川の恩恵といえる。

まずブリュッセル市内を抜けて、南のアルデンヌ地方のディナンとナミールにむかった。

★ディナン〔Dinant〕

ナミールは、あいにくの天気でやや霧がかかっている。その霧につつまれてこの街が落ち着いてたたずんでみえる。なにより、ミューズ川がこの街の主役といった風情でゆったりと流れ、街並みが川の縁に並んでいる。運搬用船やクールズの自家用船も往き交っている。悠久のはるか昔、ローマ時代からこの川が交易の動脈となり、人々はこの母なる川に抱かれ生活していた。

現在は、ナミールからディナン一帯は、景観が美しく夏のバカンス地として名を馳せている。この川の周辺が、キャンピングの絶好な場となり、各地から車で訪れ、カヌーや水浴、釣、散策をのんびりと楽しみ自然を満喫する場となる。

この川の後背には、岩石が壁のようにそそり立っている。その岩壁を利用して、城砦を造り堅牢な防備の要としている。

昔からこの一帯は、交易の場にとどまらず戦いの場となっている。第二次世界大戦時には、ドイツのナチスとの激烈な戦闘の場ともなっている。こんなに美しい場も戦争の傷を負っている訳である。

まず銅細工ディナンドリーでも有名なディナンに向かった。ミューズ川を眺めつつシックなレストラン「LA Villa Mouchenne」〔Av des Combattants〕で昼食をとった。ビーフシチューがメインであったが、アルデンヌでとれたハムがとてもおいしかった。

その後歩いて橋を渡りノートル＝ダム教会〔Cathédrale Notre-Dame〕の袂へむかう。少々観光用の店をみつつ、細い玉ねぎを載せたような黒いノートル＝ダム教会の内部をみた。

岩壁に沿うように立つ13世紀創設のロマネスク様式の教会だが、崖からの落石で一部が破損した。のちにゴシック様式で再建された。16世紀バロック式の鐘楼は、20世紀初頭の復元という。内部は、とても暗く質素そのもの。室内装飾もあまりなく、なんとも寂しい限りだった。

店先をのぞきつつ、時間をつぶし、とても傾斜のきついケーブルカーにのり、あっというまに岩の上に築かれた天然の城砦「シタデール」〔Citadelle〕に辿りついた。ガイドさんは、「ここの城の解説は、昼食後などは特に困ったことに、いつも少々酔っ払った赤ら顔の男がおこないますよ」と悪い予告してくれた。

運悪く、それは的中してしまった。どういうわけか、昼に飲んだ酒が回ったのであろうか、軍服風の制服に身を固めた、かなり出来上がってしまった男が、みんなを集合させはじめた。それに従って城内めぐりの輪に入ったが、最初からなにやら軍隊調だ。最初の洞窟のような部屋では、スライドとビデオによるこの城周辺の歴史の紹介があった。

それが、終了すると、この男は、文字通りわれわれを訓練兵に見たてて、訓示をたれはじめた。胡散くさいこのガイドは、私語をしていると、怒り出し説教風に説明をつづけた。それによると、この街を巡って様々に騒乱や戦争がおこったという。

それらは中世におけるミューズ川と城の攻防劇が、人形模型などをつかって再現していた。ナチス・ドイツとフランス兵の戦いもこの暗い城内で行われた。それも人形を使って表現されていた。ただ、悪いことばかりではない。この城から見下ろした街の風景は、絶景である。川に沿って形成されたこの街が、なにか都市模型をみるかのように、のびやかに眼前に広がっている。

ディナンという街について、その横顔を紹介しておこう。この街もまたミューズ川に沿って発達したが、先にも触れたがなにより私達にとってはディナンドリーで有名である。銅や真鍮でつくられた製品である。またあるひとつの楽器でも有名である。この地で生まれたアントワーヌ・ジョゼフ・アドルフ・サックス〔Adolphe Sax〕は、１８１４年に楽器製造者の家にうまれた。クラリネットから新しい楽器を創造した。それがサキソフォーンだ。パリで特許をえて一般的な楽器の仲間入りをする。この地には、サックスの名の店があるほどに、街の名士でもある。

もうひとつ、クック・ド・ディナン〔Couques de Dinant〕という巨大なビスケットがある。街のパン屋さんのショーウンドウに並べられていた。ただし、これはとても食べられる代物ではないという。固くて歯を痛めるほどだという。ある種の非常食でもあったようだ。乾パンとでも形容しようか。むかし食料がなくなったときの非常時に、民衆は生活の知恵で、小麦粉とはちみつを混ぜて、それを木枠にいれて焼いたという。現在は、実際に食べるのでなく、飾ったりするものという。調べてみると、このお菓子は、12月5、6日の「聖ニコラの日」には、ベルギー全体で作られるという。

ナミールでは、朝の澄んだ空気を吸いながらひとつの庭園と城を散歩した。この一帯には、中世の領主の館や城が点在している。その中でも、ひときわ庭園の美しい館を選んだ。「アンヌボア城」〔Château d'Annevoie〕という。文字通り、中世の館に迷いこんだ様な時間と空間がゆったりと広がっていた。

調べてみると、ここは、1675年以来、モンペリエ家の所有となっていた。つまり、18世紀に造られた建築と造園である。この場所は、いつも見学できる訳でもない。3月末から11月1日までという。とても小さな入口で見学料を払い、中に入るとそこには思いをこえた別世界が待っていた。素朴な自然の風景がそこには在った。領主館を中核にして庭は、設計され、その館の周辺は池となり何か映画のワンシーンをみているかの様に白鳥が悠々と泳いでいた。

池の水面は鏡となり、領主の館を映し出す。それがとても美しい。領主館の内部も音声ガイドの説明をききながら見学できるようになっていた。狩の好きな領主のようで、狩で得た獲物も剥製となって壁を飾り、また当時の趣味であろうか、コレクションされた中国家具などが置かれていた。

とても心が休息する空間であった。日本人もいくつかの様式美をもった庭園を構築した。京都龍安寺の枯山水庭園のような、仏教の宗教思想を縮図したものもある。そうした日本人の庭園と、ヨーロッパ人の庭園への意識とは、かなり異質なものであるといえる。もちろん、庭園思想の原形には宗教性が強く影響しているのは共通する。ヨーロッパ世界の記号では、庭園とは〈閉じられた空間〉を指している。つまり庭園は、キリスト教でいうところの〈エデンの園〉と通底している。

それが、イスラム教にも波及し、スペインのアルハンブラ宮殿にある別天地（天国）などへと繋がっていくことになる。いずれにせよ、このアンヌボアでは人工的に創造した庭とは、おもえない風景がこの地を訪れる者をむかいいれてくれる。

造園の形式は、ここの地形を上手に活用していることが、散歩してみてよく分かった。とても緩やかな丘や斜面のスロープに、小さな噴水が築かれていた。その噴水達が心地よいリズムを刻んでいる。ミニサイズの噴水のなんと優雅であることか。小さく愛らしさがある。この噴水達は、丘の池に貯水された水の水圧により生命を与えられているのだ。池辺には野鴨が生息し、のんびりと羽根を伸ばしていた。

結構おおきな池の回りには、高い木々がそびえ、葉は風になびいている。茂みのトンネルあり、大小の池が点在し、また猪の像など置かれたりしているが、ここの主役は、やはり緑と水と風である。庭園には、管理人の住まいもあり、清水が流れるせせらぎもある。この地は、人よりも動植物の住む空間となっているようだ。木々には、鳥や虫達も住み、様々な草や花たちやまた野鳥たちも平和の内に共存している。彼らは、この地を愛する一番の生活者となっているようだ。

★世界最小の街デュルビュイ〔Durbuy〕

今回ディナンで昼食をしている間に、急にデュルビュイに行くことになった。ワロン地域に属するリュクサンブール州の都市である。大雑把なラフ・プランニングでは、この〈最小の街〉にいくことをプランしてみたが、どうもそれを入れるとかなりの強行軍となるため諦めていた。

たまたまガイドさんに「ディナンからデュルビュイまでどの位でいきますか」と聞いてみた。すると、「バスを走らせると40分で行くでしょう」という答え。すぐに昼食後の日程を調整してみた。ディナンの城跡見学を早めに切り上げ、運転手さんの協力を得てデュルビュイへ向った。近道を通って一路この田舎街へ。田園地帯を小さなバスは疾走した。心地よい長閑かな風景がつづいた。

アルデンヌの田舎では、どうも時計の針がとてもゆっくりと進むようだ。いや、人間の行動をしばるような時計などいらないようだ。川辺には、キャンピングする家族の姿がみえた。日本なら必ず洪水や増水防止のためもあるとはおもうが、川辺は危険ということで、コンクリートで固めてしまうのがことが多いが、ここでは違う。川は、人工的に改造されることは少ない。川は、絶好の遊び場、そして憩いの場となる。自然とは、自然のままがとても美しいことを彼らは意識することなく知っているのだ。それがとても羨ましい限りではある。

デュルビュイはかつて400人ほどの街であり、文字通り〈世界でいちばん小さい町〉とよばれていたが、現在は近隣の町も組入れそれより人口は多くなったという。約一万人程という。この町は、知る人ぞ知るグルメ(美食)の町でもある。豊かな自然と大地が創造する食材をつかった料理は、絶品であるという。野鴨などの狩での獲物。野菜や果物など太陽の恵みも多様である。

私達は、駐車場でバスから降りて、しばしデュルビュイの住民となって町の中心へと散歩した。ただ予想に反してこの町は、今や超人気のリゾート・スポットとなっているらしく、至る所に人が溢れていた。咽喉の乾きを癒しつつ休憩するためレコレ広場にある、木陰の野外のキャフェに入った。

とても小さなこの広場には、「ル・クロ・デ・レコレ」という17世紀には農家であったホテル・レストランがあった。またこのキャフェから、老舗のジャム屋である「コンフィチュルリ・サンタムール」がみえた。その店先には、森の果実を素材にした新鮮なジャムが並べられていた。

この町を観光客をのせて馬車がカッポ、カッポと心地よい音を出し闊歩していく。

そういえば、こんな素敵な音をしばらく聞いていないことに改めてきづかされた。見ると、御者はとても若い女性だった。

少し、散歩したが、通りの看板や表札も含めてとても可愛いデザインだった。まさに手作りの町である。この美食の街でひときわ有名なのが「ル・サングリエ・デ・アルデンヌ」(イノシシ亭)である。このレストランの屋根には、数頭のイノシシが看板となっていた。イノシシ年生まれの私としては、イノシシが料理されてしまうのは、なんとも複雑な心境だ。この地にはとても小さな教会があるが、ここでは数多くコンサートが開催されるという。

帰りの路で小さな鈴と、街が描かれた記念の皿を買い求めた。

夕方には、ホテルへと急いだ。シャトー・ホテルである「シャトー・ド・ナミール」〔Château de Namur〕〔Ave de L'Ermitage〕。丘の上に立つ古城ホテル。ここは、現在この地方の専門学校が経営している。料理なども学生達などが、実施勉強しながら対応してくれる。内部も改装され、ホテル全体が明るく古城のイメージはない。学生達のサービスも完璧とはいえないが、真剣な振舞いには、好感をもてた。この城にのぼる結構な坂には、ちょうど終わったばかりのオートバイレースために使ったフェンスなどの後片付けをしている最中であった。訪れることはなかったが、ここには兵器博物館、森林博物館、野外劇場などもおかれているというバスは、うねった坂道をのぼっていくと、街が一望できた。気品がある高級住宅地もつづいた。部屋からこの城の庭園がのぞめた。

さてホテルの室内は、シックな家具がおかれ、風呂場空間の方は、現代的なデザインとなっているが、洗面台など機能面ではやや少々不便だった。夜には、ここのレストランでガイドさんと運転手さんと共にディナーとなった。これまではいつもベルギービールだったので趣向をかえてワインで乾杯となった。料理は、魚をメインとした料理であった。特にドライバーさんには、安全運転への感謝と特別要望に心よく答えてくれて、デュルビュイまで運転してくれたことにお礼をのべて、乾杯をした。

★ミューズ〔Meuse〕の真珠

朝には近辺の高級住宅を探索した。日本では、現在庭づくり（ガーデニング）がひとつのブームになっているが、高台にある住宅には、各家が広大に敷地を利用して草花を植えている。生活と密着した庭づくりがここにはある。

朝食を取り一日の行程をスタートする前に、まずこの街の全景を17世紀に造られた城壁跡からみることにした。古城シャトー・ナミールの高台から下を眺めると、わずか人口10万のこの街を川がうねりながら、母のように悠然と流れているのが手にとるように分かった。〈ミューズ川の真珠〉とよばれるナミールの街並、その絵のような風景が、朝日をうけて広がっていた。

最初に訪問したのは、「メゾン・デ・スール・ドゥ・ノートル・ダム」(教会)。この教会はとても小さな宝物部屋をもっている。その名は、「ノートルダム女子修道院ユゴー・ドワニー宝物室」という。

シスターが、柔和な表情をうかべながらフランス語でひとつひとつ名品を解説してくれた。

彼女はここにある貴重な宝物品が出品していた展覧会に昨日まで出向いており、留守をして戻ったばかりという。ナミール地方のキリスト教の歴史を背景にして、ミューズ川流域とこの地に開花した工芸美術の美について、素晴らしい美術講義をしてくれた。テープがあれば、録音しておきたかったほどだ。

この地方では、ミューズ川が文化伝播の役割を果たしたようだ。リェージュを中心に中世期にはミューズ川全流域で、象牙や金銀細工が発達した。緻密な工芸文化が花開いた。それを「モザン文化」という。特にこの一帯は、スペインにあるサンチャゴ・デ・コンポステーラへの巡礼路が出発する地域になっている。さまざまなキリスト教美術もそれにつき従うようにして、成立していった。

その中でも、特に有名なのが、13世紀初頭に活躍した金銀細工師ユゴー・ドワニー〔Hugo d'Oignes〕という。ここには「ベルギー7つの傑作(秘宝)」の一つ、「福音書カバー」や「聖餐杯」、「聖遺物箱」などが、ガラス箱に納められている。

ちなみに、「7つの秘宝」とは、「イカルスの墜落」(ブリューゲル作)、「キリストの降架」(ルーベンス作)、「聖ウルスラの聖遺物箱」(メムリンク作)、「神秘の子羊」(ファン・エイク兄弟作)、リェージュにあるルニュ・ド・

ユイによる「サンバルテルミー洗礼盤」、トゥルネにある「ノートルダムの聖遺物箱」（ニコラス・ド・ベルダン作）とこのユゴー・ドワニーの作品である。となると、この旅では、リェージュとトゥルネ以外の5つを眼でたしかめたことになる。

カタログがないようなので、絵葉書を数枚記念に買った。その絵葉書には、「FRERE HUGO（1228—1230頃）ÉVANGÉLIAIRE」の文字がみられた。他方には、「SECOND PHYLACTÈRE DE ST. ANDRÉ」とされている。最初の一枚は、ユゴー・ドワニーが制作した聖書のカバー。キリストの磔刑と死、キリストの復活（再臨）が両面を飾っている。右面には、王座に座る両手を挙げたキリストと福音書の筆者である聖ルカなどがシンボルの動物として登場している。右面には、十字架磔刑の図が彫られている。この十字架像の上には、宝石が嵌められそれは太陽と月のシンポルとなっている。

この太陽と月とは、宇宙や世界のシンボル（象徴）かとおもっていたが、別な資料を調べていたら、それは別な意味性をもつとのべられていた。それは、「新約」と「旧約」のシンボルであるという。この事は、キリストの十字架は、人間の贖罪のシンボルであり、さらに教会における教義では、『旧約聖書』と『新約聖書』をつなぐ役割をもつということの宣言でもあるようだ。

両面ともに、渦巻き模様で囲まれ、地部分にも宝石類が鎮められていた。線刻が精緻かつ軽みをもち、とても優れたデザインであることが伝わってきた。

後者には、3つの工芸品が記載されていた。聖マルガリータ、中央には、聖アンドレの聖遺物が納められたガラスの筒が置かれていた。さらに聖ニコラも描かれていることが分かった。

ではこれを美術史に位置づけるとどうなるか。それを的確に記述してくれるのが、「ベルギーとオランダの工芸」という『原色世界の美術７』（小学館）に収録された黒江光彦（美術評論家）による論である。それは、〈輝くメチエの国〉と標題されていた。その該当する部分をここに紹介しておきたい。

「シャルマーニュの首都アーヘンから近い低地地方（ネーデルランド）は、早くから開けていて、ミューズ川は都とこの地方とを結ぶ動脈であり、ミューズ渓谷沿いのディナン、ナミュール、ユイ、リエージュの各地には貴金属工芸や青銅や真鍮などの金属をあつかう技術が古くから発達していた。ライン川流域と結びつくことによって遠くビザンチンの輝かしい工芸技術とも関連をもち、「ルニェ・ド・ユイ」（１１２５没）の《洗礼盤》（リェージュの聖バルテルミー教会堂）などには、時代に先がけた清新さを示している。

幾世紀もの間、このミューズ河畔に響いていた槌音はヨーロッパ中にこだまし、１１４０年頃、パリ近郊のフランス王家の菩提寺サン・ドニの教会堂のために、修道院長シュジェール（１０８１頃―１１５１）の招きで、ゴッドフロア・ド・ユイの率いるモザン工芸職人たちが南下したのであった」。

「ゴシック時代を通じてモザン地方の貴金属工芸は栄え、トゥルネ大聖堂に伝わる《聖エルテールの聖櫃》（１２４７）にその精髄がうかがわれる。13世紀に活躍した名手にはニコラス・ド・ドゥエ、ジャックマール・ド・ニヴェル、ジャックモン・ダルジャンがいる」。

補足を一つくわえたい。ここでいう「モザン美術」〔Mosan Art〕とは、ミューズ川中流域で中世期に発展したアートのことを指している。

このように「モザン美術」（文化）は、単にこの地方の工芸文化にとどまらずに、西ヨーロッパ全体にも名を馳せ国際的評価も高かったようだ。

こうした高度な技術職能集団は、いまでいうところの電子工学技術者といえるような存在であろう。彼らは国境をこえてそのすぐれた技で生きていった訳である。当時において文化の中枢であるフランス宮廷にまで、響き渡っていたというから、その工芸技能の高さが十分に推測できる。

この工芸芸術の伝統は、脈々とひきつがれ、フランドル絵画にみられる精緻な聖者たちが被った王冠やブルジュア市民達が身につけた装飾品が誕生していくことになる。それは、中世にとどまらずに、現代のダイヤモンド加工技術やファッションなどのデザインにも確実に受け継がれていることは、まちがいのないところであろう。

その次に見たのは「ナミュール古典美術館」〔Musée des Arts Anciens du Namurois〕である。どうも手違いがあったらしく、この地で出生しベルギー世紀末で活躍した画家「フェリシアン・ロップス」〔Félicien Rops〕の美術館をみるように依頼してあったが、組み込まれていたのは、古典美術館の方であった。どこかで行き違いがあったようだと思っていたが、後で帰国してもう一度資料を探ってみたら、19世紀の画家、ロップス（ロプ）の展示室は「併設」していると記されていた。どうも時間が足りなくなり、この「併設」した部屋までに至らずに外に出てしまったようだ。時にはこんな失敗もあるのだ。

さてその古典美術館であるが、中世のルネサンス期の彫刻、絵画、銅細工などがみられる。元は、貴族の館であった。ロマネスク教会を飾った柱頭の彫刻などが展示されている。

ではロップスとはいかなる人物であろうか。版画、絵画、水彩、挿絵などに活躍したが、そこには自由な精神で社会を鋭く批評する眼が生きている特異な表現者である。

その後、ナミールの古都を歩きながら、17世紀に建造された聖ルプス（ルー）教会をみた。ここは、現在修理中で、玄関入り口から、内部を眺めるにとどまった。バロック建築様式の教会で、砂岩の丸天井の彫刻が異色であった。

帰国後、気になって再度ロップスの事を調べてみた。１９９７年1月に東急文化村ザ・ミュージアムでみた「象徴派――世紀末ヨーロッパ展」のことが思いだされた。カタログのロップスに関する箇所を読んでいたら、彼が詩人のボードレールと深く交流していた事実をしられた。ロップスとシャルル・ボードレール〔Charles-Pierre Baudelaire〕との結びつき、それが本当であれば意外な事実ではないか。いや私だけが知らなかったことかも知れないが……。フランス文学者阿部良雄が責任編集した『ユリイカ』総特集「ボードレール」（青土社・１９７３）に収録された年譜の１８６３年には、「五月末、画家フェリシアン・ロップスをナミールに訪ねる」、１８６５年には、「三月十五日頃、プーレ＝マラシと共にロップスをナミールに訪ねる。三人で見物していたサン・ルー教会で転倒。失語症と半身不随の徴候が現れる」とあるではないか。

ボードレールは、１８６５年前後から激しい眩惑、神経痛、嘔吐、衰弱などに苦しめられ阿片などを服用していた。ボードレールは、ナミールの病院からブリュッセルの病院へ、そして最後にパリの病院へと転院は続き、遂に１９６７年8月に、長い苦しみのあと46歳で帰らぬ人となってしまう。つまりナミール行きは、予想に反して〈死への旅〉になってしまったのだ。

彼が、最後にみたのが聖ルプス（ルー）教会であったとは！ロップスもこの大詩人の転倒と入院には、言葉でいい表せない程に、驚いたであろう。ボードレールの失語症は深刻となり、この詩人のイメージに反して、最後には〈畜生〉しか発することができなかったという。ロップスとボードレールとの出会いは、１８６４年にボードレールが、ブリュッセル芸術・文化協会で講演に訪れた時に始まり、交流は亡くなるまで続いた。実際に、ロップスは、彼の拾遺詩集『漂着物』〔Les Épaves〕の口絵を担当しているほどだ。一説ではフリーメイソンに入会していたという。

きっと、ボードレール崇拝者にとっては、偉大な詩人が、突然に〈死の魔手〉に捕まえられたいまわしい場所として、この街は苦《にが》く記憶されているのだろう。

ナミール古典美術館 案内リーフレット

6　ゲント〔Gent〕の2つの美術館

★シント・バーフ大聖堂〔St.Baafskathedraal〕　ゲントの祭壇画―神秘の子羊

ゲント（フランス語ではガン）は、古都の風情をのこしつつ、華麗な花々につつまれた街だ。この街は、世界中の子供達が、かならず一度は読んだことがある「青い鳥」の作者メーテルリンクの故郷でもある。〈花の都〉の名にふさわしく、教会や市庁舎のみならず、建物の至るところに花がかざられている。5年毎に開催されるフロラリア・パレスで開催されるゲント・フラワー・ショウは特に有名であるという。

この地の訪問の目的は、ひたすら聖《シント》バーフ大聖堂で、ファン・エイク兄弟の祭壇画「神秘の子羊」をみるためである。このシント・バーフ大聖堂は、ゴシック様式による荘重な建物であり、通称〈神秘の子羊〉とよばれるこの祭壇画は、入口のすぐ横から入ったところに置かれている。

この祭壇画の作者の一人である弟ヤンであるが、リングブルク地方のマーセイクに生まれたといわれるが、はっきりと確定はできないという。生年もさだかではないらしく、作品の購入支払い記録から類推する以外方法はないという。

時代の人らしく、貴族や王族のお抱え画家として数おおくの大作をのこしている。１４２２年から2年間は、デン・ハーグのバヴァリア伯のために制作していたが、１４２５年には、ブルゴーニュ公のフィリップ・

ル・ベルの画家兼従者として仕え、最後には主席画家の地位を与えられ、ルーベンスなどと同様に外交政策にも参加して、実際にポルトガルとの間で婚姻のとりまとめの仕事などをしている。

彼もまた、作品に対して無署名のため、彼の兄との区別や真作鑑定は、なかなか難しいといわれている。

さて、祭壇画は、とても狭く暗い空間におかれている。光をさけガラスで防備された大作を、人はなにか巨大な貴重な標本や博物をみるかのような気分で、出会うことになる。両翼の後部分をみようとするが、困ったことに空間が狭いのでなかなか難しい。かなり前にはなるが、東京、上野にある国立西洋美術館で開催された展覧会「西洋の誕生」で、緻密なこの作品の摸写画をみたことがあり、そのあまりの美しさに感動したのをおぼえている。それと比較すると、なんと暗いことか。とはいえやはり本物の存在感は、言葉であらわすことができないくらい特別である。特に、祭壇画様式のために、両翼外側の裏に描かれた部分などを含めて全体像を確認できることは、私にとっても至上の喜びである。

この祭壇画は寄進によって制作された。当時の人は、みずからの信仰や徳をあらわすために、膨大な金銭を投入して画家に依頼して制作させた。富の社会への還元であるから、今で言うところのある種の「メセナ」といえなくもない。

ただ依頼者は、自らの肖像画を挿入させることを、忘れることはなかった。後世にみずからのイメージを残し、さらに崇拝と尊敬を集めているのであるから、これはなかなか賢明な方法といえる。依頼者は、市の参事会員ヨース・フェイトという。この祭壇画は、最初はこの聖堂内の一礼拝堂に設置してあったという。

ところで、この作品を中世キリスト絵画とみるか、それとも近代精神の曙に満ちたルネサンスの作品とみるかについては、いろいろと議論があるようだ。その論議内容をここでくわしく説明することはできないが、いずれにしてもその両面をもっていることは間違いないようだ。

ひとまず美術史には中世からルネサンスへと移行する時期に相当する貴重な作品であることは異論のないところであろう。中世末期の時間空間を、つまりひとつの転換期特有の美意識にメスをいれ、これを「中世の秋」と呼んだのは、文化史家ヨハン・ホイジンガ〔Johan Huizinga〕である。まさにこういえないだろうか。その「中世の秋」〔Herfsttij der Middeleeuwen〕が顕現しているのがこの作品であると。

つまり中世末期の荘厳さをゴシック調であらわし、それに加味するようにしてフランドル絵画の特質である緻密な事物や空間描写をみせてくれるのだ。

こうした両面性（多面）の表情こそが、この作品の魅力のようだ。よくみると作品全体の構造には、兄弟の絵に対する姿勢や技量の差異が、否応なくたちあらわれている。どこが兄の手により、どこが弟の手によるものか、それを峻別することは、決して難しいことではない。上部と下部の表現の差異は、一目瞭然である。上部には、神々しくマリアやキリストがゴシック調で描写されている。これは、兄による中世的表現である。荘厳だが、自然性に欠けているように感じる。古式の絵画言語でみちあふれているといわざるをえない。

一方の中央下段の「神秘の子羊」の映像には、なんと自然の風景とみずみずしい空気がたちこめていることであろうか。一匹の子羊が、中央に描かれている。天使たちは、ひざまずき礼拝する。その下には、生命の泉から水がほとばしりでている。その左右上下には、人物群像が描かれているが、それがパノラマ的に描かれている。当時としては、とても異色の空間表現ではなかったか。

ここでキリスト教による図像学にもとづき解釈してみたい。子羊は、〈受難のキリスト〉のシンボルであり、その羊の流す血は、キリストの十字架上での血を意味する。

一方で、この子羊は、毛織物工業で繁栄したこの地にあっては、〈世俗の記号〉でもあり、なによりゲントに富をもたらす産業のシンボル記号でもあった。だからこそ子羊を敬い、そして感謝をささげているのだ。当時の市民もそのようにみていたのではないだろうか。

またこの泉は、〈天の園〉を象徴しているようだ。この〈子羊の礼拝〉は、図像的にはキリストの生誕劇である「マギの礼拝」にとても似ていることにきづかされる。大事なことがある。この場面の主題は、もうひとつの意味をもっていることを忘れてはならないのだ。それは、「新しいエルサレム」の世界を描いていることだ。聖人や聖職者や女達が描かれているが、彼らは至福に満ちあふれた〈新しいエルサレム〉の住人となっているのだ。

このパノラマは現代風にいえば、まさしくハイビジョンの映像である。そんなモダンな遠近法がとても斬新である。ファン・エイク兄弟の抜群な意匠感覚は凄いと、感心してしまった。さらに背後に目を注いでみる。塔などが描かれまさしく実在の都市風景が描かれており、ある種の〈都市図〉としてもみることができる。

ただ解釈の森を抜けてみることも大事だ。そうしたコマゴマした解釈の詮索よりも、私は、「神秘の子羊」の園の表現がとてもきにいっている。その理由は、緑豊かな園の美しさは、比類がないからだ。その園に自然の光をあててあげたらどんなに美しい輝きをみせることかと思う。かってにこんなことを夢想してみた。この湿った暗い牢獄のような空間から救出して、もっと光をあててその美しさを思う存分、この眼で確かめたい衝動を押さえることはできなかった。

印象派の画家も光を賛美したように、ファン・エイク兄弟もまた、緑が映える自然の光の美しさに感嘆しつつ、この園を描いたのではないのか。自然光の下でみれば、まちがいなく感動は数倍に増して返ってくるはずであり、作者の意図も膚で感じることができるはずである。

大地にはえた草花。木々の茂み。空と外気がつくり出す透明感。それは、きっときっと、もっと美しいはずだ。あたりまえだが、それができない。私は、つねづねこの子羊の園の表現は、ボッティチェリの「春」に匹敵するとおもっている。少々ゴシック的であるが、ネーデルランドの「春」の性格を十分に具現しているのだ。

彼らの偉業を賛え顕彰する目的でつくられたものであろうか。この建物の外に、とても壮大な弟子達を群像として従えたこの兄弟の堂々とした銅像が置かれている。

この兄弟は、悠然とシント・バーフ大聖堂を背後にして君臨しているのだ。なんという風格であろうか。なんという立派な彫刻であることか。

その後私達は、アール・ヌーヴォー風の古式ゆかしいレストラン「Auberge De Fonteyne」〔Gouden Leeuwplein-7-B9000〕）で昼食をした。

★ゲント（市立）美術館〔Museum voor Schone Kunsten〕

この地にはゲント（市立）美術館がある。この美術館は、鉄道駅に近い公園（シタデールパーク）の中に立てられている。この公園内には、5年ごとに開催される国際的な花市であるフロラリース・パレスもある。

この建物は、19世紀新古典主義のもので、イオニア式列柱が、悠然とそそり立ち、その上の左右には、この地の出身彫刻家ルイ・ピェール・ヴァン・ピエスブェク（1839―1919）による理想と真実を象徴した像が立っている。

なかなか風格のある建築物である。現在、修復中ということで、入場料は不要なのはよかったが、その分修復中の部屋がたくさんあり、見るのには大変不便だった。壁の色彩は、風格のある落ち着いた燈色がおおいのが印象的であった。この美術館にはヒエロニムス・ボッシュの「十字架を担ぐキリスト」がある。彼は、細部描写に卓越しているが、この絵は、人物の表情に焦点を当てた力作である。

ただこのサイズからみて、ふと、こんなことが頭をよぎった。ひょっとすると、元は祭壇画の一部で分断されてこんなサイズになったのかもしれないと。この画家は、初期から何度となくキリストを登場させる場面を作ってきたが、この作品はひときわ群をぬいている。同系の作品には、スペインのプラド美術館とイギリスのロンドンにある「茨の戴冠」がある。いつもながら、この絵をみていると、ボッシュは、現代の画家ではないかと錯覚してしまう。さらにある種の表現主義的画家ではないかとおもってしまうほどだ。これほどまでに痛烈に人間の心の底でうごめく悪意と醜悪さを描いた作品はとても少ないからだ。

人生の後半期には、スペインのプラド美術館にある「快楽の園」を制作している。たしかに幻視の園というたぐい稀な作品ではあるが、私は、むしろそれよりもこの「十字架を担ぐ……」でみせた人間洞察にとても興味がある。もちろん先にものべたが、この作品はこれ自体としてつくられたものではないかもしれない。いずれにせよ、キリスト絵画という〈枠〉をはるかにこえて、醜悪な人間の心奥までを透視した作品であることは、間違いのないことであろう。

この美術館には、現代美術においても優れたコレクションがある。ベルギー世紀末を代表するジャン・デルヴィルの大きな作品もあったが、その部屋はあいにく修復中だった。そのためその入口で遠くからその図像を眼にやきつけることしかできなかった。

一部屋には、ゲントの貴族の館を飾っていたタピストリーが置かれていた。

その地には、20世紀になり新しい芸術グループが結成された。これは新しく知ったこと。それは「ラーテム・サン・マルタン」〔laethem-Saint-Martin〕派という。１９００年にゲント（ガン）の近くにすむ数人の芸術家が、水辺のこの村の素朴さに接して、より温かみのある新しい芸術をつくりだすことをめざした。彫刻家のGeorge Minne Karel van de Woestijneらがメンバーとなった。

この村にひきこもりつつ、軽薄な世俗性に背をむけつつ、宗教的な感情を大切にしていった。そこにはJacob Smittらの深い宗教的感性に富むものや、新印象派の手法である点描を駆使した光溢れる作品をのこしたLeon De Smetらがいる。またこの地の素朴な農村風景を描いた優れた作品ものこされている。

表現主義の作品では、オーストリア世紀末から20世紀にかけて活躍したオスカー・ココシュカ〔Oskar Kokoschka〕の「ルドヴィヒ・アドラーの肖像」がある。彼のサインは、とても簡略なのですぐに分かる。それは、〈OK〉となっているからだ。もちろん、彼の名であるオスカー・ココシュカの略である。世紀末の画家では、レオン・フレデリックの〈晩餐図〉が克明な描写でひときは眼をひきつけた。クノップフの風景画もあったが少々完成度が低いように感じた。ほかには幻想的な風景画を得意としたドュヌーブ・ド・ヌンクのパステル画が一点あった。

7　ベルギーの現代美術

★シュルレアリスム絵画

20世紀を代表する現代美術において、ベルギー美術は、おおくの芸術家を輩出させたが、その中でもひときわ精彩を放っているのは、シュルレアリスム〔surréalisme・超現実主義〕の分野であろう。そのなかでもルネ・マグリット〔René François Ghislain Magritte〕とポール・デルヴォー〔Paul Delvaux〕の二人は、特に重要である。

20代から美術評論を手がけたころから、20世紀芸術を牽引してきたこの前衛芸術思想に強く関心を抱いてきた私にとって、ベルギーでこの二人の作品と出会うことは、とても感慨ぶかいものがある。実は、１９９７年は、ポール・デルヴォー生誕１００年の記念年であり、特別の展覧会がブリュッセルの王立美術館で開催されていた。会期は、７月27日までであった。私が訪れた8月には当然にもそれはクローズとなっていた。惜しくもみることはできなかった。アメリカ、スペイン、イスラエル、日本など世界各地からなんと２５０点ほど集められたという。その内、油絵が１３０点というから、かなり質の高い最大級の展覧会であったことがうかがわれる。それが見られなかったことは、なんとも残念であった。

さらにユイでは、「ポール・デルヴォーとミューズ地方」という珍しいタイトルの展覧会が9月30日まで開催されるという。

今回は、みることができなかったが、１９９７年に開催された美術展で目立ったものをあげておきたい。トゥルネで「第三回タピストリー展」が、ゲントの（市立）美術館では、「ブリュッセル―パリ／パリ―ブリュッセル」が、９月６日より12月14日まで開催される予定だ。

この「ブリュッセル―パリ／パリ―ブリュッセル」は、パリのポンピドゥー・センターが過去に企画した〈パリとベルリン〉、〈パリとモスクワ〉などヨーロッパの各都市を基軸（拠点）にして美術交流を探るコンセプトを応用したものといえる。その他では「ロダンとベルギー」という展覧会もある。

さて、ある芸術家を深く理解するためには、可能であればその芸術家の母国で、つまり出生し、さらに制作した場所で、その作品を味わうことがどんな文献を探って研究してアプローチするよりも、さらにいえば本や資料からは知ることができない本質的なものを確認できるというのが、私の持論である。ヨーロッパの各都市をめぐっている主たる目的はまさにこれである。それを主目的においていつも可能な限り行程をアレンジしているのだ。

今回ベルギーの各地を訪れてみて新しい知見を得ることができた。それは、ポール・デルヴォーとルネ・マグリットの絵画は、決して突発的に誕生したものではなく、本人達がどれだけ意識していたかはさだかではないが、むしろかってここで隆盛したネーデルランド絵画の伝統と気質を色濃く継承しているという感慨を深くしたことだった。〈前衛の騎士〉たる彼らは、むしろ宗教色の強いネーデルランド絵画を否定しつつ、新しい感性にみちた美を創造しようとしたが、本人たちのそうした意識とは別に、ある種明白な影響がみられるからである。

今、それをネーデルランド絵画の伝統と気質と形容したが、その実体とはなにかと問われれば、現実や細部描写への固執性ということがその一つである。

★マグリットとデルヴォー

ところで、現代美術において人間や風景以外の〈無機質な事物〉が、さかんに描かれるようになった。それが、〈オブジェ〉〔仏語・objet〕と呼ばれるものであり、抽象彫刻や立体表現の分野では、さかんに絵の素材となっていった。それは広い意味では、これまで主流だった人間中心主義の崩壊であった。マグリットもその例にもれず、絵画の中にさかんに〈オブジェ〉を描いている。それは、無機質なドア、柱、鈴など。さらに生物ではカメや鳥など多様である。

マグリットは、〈新しい絵画〉とはなにかを探求している最中、友人の紹介でデ・キリコの絵の複製をみたが、そこから不思議なインスピレーションを受けたという。彼は、みずから、「キリコは美をもてあそび、彼の望むものを想像して制作した。つまり、キリコは「愛の歌」を描いたが、そこには、拳闘の手袋と古代の立像の顔を組み合わされているのが見える。キリコは、〈憂鬱（メランコリア）〉を工場の高い煙突と無限につづく壁の国の中に描いた」とのべている。この決定的な詩情が、伝統的絵画の型からの〈解放〉へと彼は導いたのだ。

つまりデ・キリコの「愛の歌」という作品から、他の作品から受けたことのない詩情を感じとり、さらに〈世界の沈黙を聞くためには新しい眼で見ること、つまり〈ヴィジョン〉が重要であることを学んだのである。

マグリットの先駆性は、絵画というものに、美という形象ではなく全く〈新しいヴィジョン〉を宿らせたことにある。そして、彼の作品は彼の母の謎の入水自殺に似て、どこか謎めいており、さらに言い知れぬ〈不可解さ〉とユーモア感も内在しているのだ。

さて一方、デルヴォーにあっては、〈オブジェ〉は、紳士の被る山高帽であったり、女性の胸を飾るリボンや街を走る機関車であったりする。それらの〈オブジェ〉達は、本来もっていた用途性や意味性をすっかり喪失してしまい、かわって不思議な存在感を醸し出し、幻想的かつ詩的な幻惑さえ造りだしている。

他の国の画家よりも、〈事物の自立〉にこだわるこうした固執性のルーツや気質は、やはり〈細部に魂が宿る〉と考えるネーデルランド絵画のＤＮＡが継承されていることの明らかなあらわれではないだろうか。

ここで、マグリットの紹介を短くしておきたい。本名は、ルネ・フランソワ・ギスラン・マグリット〔René François Ghislain Magritte〕という。１８９８年にベルギーのエイノー県レシーヌで生まれている。

彼の幼年時代は、いくつかの奇妙なそして苦しいエピソードに彩られている。母は、お針子をしており、父は、仕立屋であった。不幸な事件は、彼が4歳の時におこった。母が川に身を投げて原因不明の自殺をする。その後マグリットは、下女と家庭教師にあずけられるが、寝る前の祈りでは、早口に祈祷し、それを百回も繰り返して十字をきるような仕草をして周囲を驚かせたという。これは明らかに心的トラウマに陥っていることのあらわれといえる。

幼年時代において、母の温もりを喪失してしまい、世界に放擲されたこの若き魂は、孤独な心を内側にもって歩みはじめたにちがいない。

人は無意識の世界に、みずからの心の奥にいろいろな想い出を溜め込めてしまうものである。ただそれが、創造の源泉となることがある。察するに、彼は外界と接する上で、つねに人から離れそして冷厳に見詰めることを学んだのではないだろうか。それは、〈冷たい熱狂〉とでも形容したくなる性質である。

彼は、のちにみずからの幼年期の出来ごとを回想していくつかのエピソードを記述している。それによると、彼はゆりかごのそばにあった木箱が、物質の不思議な感覚を与えてくれたという。またこれは、どういうことがはっきりとしないが、飛行士が家の屋根にひっかかり、しぼんだ気球を回収していったことをのべている。ここで気づかされるのは共通して〈オブジェ〉が記憶の鍵となっていることだ。

マグリットの作品は、基本的にシュルレアリスム絵画であるが、それはフランスのそれとは随分とことなる傾向をみせている。特に、〈オブジェ〉の現実感覚が強いという個性を放っている。マグリットのシュール感覚には、事物と事物との不意な結合と出会いが重要な役割を果たしている。

それを、美術用語では、〈デペイズマン〉(Dépaysement) と呼んでいる。通常、〈位置転換〉と訳しているようだ。それは、ちょうど紳士の顔の前にリンゴが停止している彼の絵のように、本来あるべきところから、事物が飛び出してしまい、画面の中で他の事物と不思議なイメージ関係をむすぶのである。リンゴは、本来樹にぶら下がっているか、篭の中で果物としておとなしくしているものだ。それが不思議にも男の顔の前で静止している。

この存在の不思議さとポエジー、さらにそこに生じている驚異こそが、彼の絵の特性である。

それらと平行してみられるのが、物質の変容である。それらが交錯しつつ、不思議なイメージ世界がつくり出されていく。魔術的リアリズム手法で克明に描かれているためにより神秘的な時間がただようことになる。〈オブジェ〉の思想の他で、もうひとつ指摘しておきたいことがある。言葉と物体の関係に対する疑問の姿勢である。要はわれわれが見ているものはなにかという、かなり難しい知的な認識の問題を取り扱っているのである。〈見るもの〉と〈見られるもの〉、それらを新鮮な感覚で再認識させようとする。

有名な作品に「これはパイプではない」という文字が記された絵がある。絵は、一個のパイプが描かれている。しかし〈パイプではない〉といわれるので、眼と頭は喧嘩してしまう。眼は、パイプだというが、頭は、パイプではないとのべるのだ。

これは、悪い遊びにもみえるし、禅問答にもみえる。私には、〈あなたの見ているものは、本当に真実なのか〉と、疑ってみなさいといっているように思えてならない。それは、物事に名付けることとは何かを問いかけ、さらに〈事物の不思議さに気付きなさい〉といっているのではないだろうか。

いや、こうもみえる。それにとどまらず〈絵はひとつの幻影《イリュージョン》にすぎない〉といっているのかもしれない。人間中心の理知ではない、事物中心の世界があるのかもしれない。それを映像としてある種のユーモアをこめつつ、よりリアルに提示しているにちがいない。

さてもう一つのシュルレアリスト、デルヴォーの絵画はどうだろうか。どこか乾き、どこか日常の中の不思議さが宿っているようにみえる。それは、なにより〈夢の中の情景〉のように立ち現れている。記憶の岸辺に立つことで、子どもが描いたような自由な絵をみせてくれるのである。特にデルヴォーの場合は、ブリュッセルの都市風景の記憶と深く関わっている。ブリュッセルの市内をバスで通っている時に、今みているこの風景はデルヴォーの絵の風景と同一だとおもわず声をあげたくなる場所があった。そこには、昔この街の路面を走った電車が集合していた。日本でいえば、交通博物館であろうか。ここで降りてみたいと瞬間おもったほどだ。実際にデルヴォーはこの電車を絵のなかに頻繁に登場させているが、この旧式電車は、観光用だとおもうが現在も時々市内をゆったりと走っているという。

この画家は、このように都市の記憶（日常の時間と空間）や幼年期の記憶を媒体にして、自由な空間を描こうとしている。また、生きるうえでエネルギーとなるエロスを強く意識している。幼児期の記憶。それはある意味では、なにものからも自由な時間空間、つまりある種のユートピアでもあった。幼年期の時間。それは、だれにとっても自我が社会的外圧より圧迫されていない幸福な空間ではなかったか。

どんな大人も、そうした無垢なそして純粋な〈記憶の岸辺〉を心のどこかにもっているのではないだろうか。一見、シュールな幻想的状況を描いているようにみえるが、デルヴォーはこうしたみずからの〈夢の岸辺〉に立って、その自由な時間空間に遊ぶようにと私達をいざなっているのかもしれない。

亡くなってしまったフランス文学者澁澤龍彦は、この画家を特に偏愛していた。きっと、こうした自由な空間、つまり〈記憶の岸辺〉を愛していたためではないだろうか。身近なところにもデルボー芸術に影響を受けた画家がいる。北海道出身の洋画家松樹路人は、デルヴォーのシュールな空間を舞台にして、夢と現実が交錯する作品を写実的につくりだしている。現実という場を、このように新しく解釈することも、ひとつの絵画の可能性を切り開くことになるのだ。

8　ブリュージュ〔Brugge〕の歴史

★都市の成立

ブリュージュの名前を辿っていくと、そこにはこの都市の歴史と関係する2つの説と出会うことになる。それを教えてくれたのは、フランス文学者窪田般彌の『死都ブリュージュ』である。この本は、タイトルのように〈死都ブリュージュ〉を巡る随想が記されている。冒頭でこの都市の歴史がのべられている。この2説は、次のようなものである。1つは、ブリュージュとは、〈桟橋〉を意味するフラマン語の〈ブリュッへ〉〔Brugge〕に由来するという。

他説は、ひとつの歴史的事実から発している。ボードゥアンが、西フランク王シャルル禿頭王の娘ジュディットを略奪した時、この王は、娘の結婚は認知したものの、婿を低地地帯（フランドル）へと追いやったという。その地に放逐した目的は、ある軍事的目的からであった。それは、侵略するノルマン人の防備に当たらせることであった。ヨーロッパを席巻した戦闘的な〈海の民〉らは、ズヴァン湾の河口近くに、自分達の船団の〈船つき場〉を設営した。

その〈船つき場〉を〈Braggia〉といった。この〈Braggia〉とは、本来スカンジナビア語であり、それがブリュージュの起源となった。この2説ともに、共通して〈橋〉に由来するというのは、とても興味ぶかい。

さてこの町の発展の歩みは、海、そして港、運河、ひいては〈橋〉との関係がつよいといえる。海から異文化がはいり、それを内に引っ込む運河があり、こうした地形的な有利さを利用して、商業交易が橋のたもとに開始されていった。

のちに、このボードゥアンは、フランドル伯の尊号を授けられ、14世紀には、この都市は商業と毛織物の中心地として経済的にも発展した。さらに15世紀初頭には、ブルゴーニュ公国のフィリップ善良（ル・ベル）王が豪華な宮廷をここに移すことで、その重要度はさらに増していった。学問芸術の一大中心地となった。次の王であるシャルル豪胆王が君臨し、この二人により黄金時代をむかえた。全盛期には、17の王国が領事館を設置し、一日に１５０船が出入りし、活況をきたしたという。15世紀の最全盛期には、財力を背景にして豪華、敬虔な独自な文化が開花した。ファン・エイク兄弟、ロヒール・ファン・デル・ウェイデン、ハンス・メムリンク、ヘラルト・ダーフィトらが登場し独自な絵画世界をみせた。

絵画のみならず、カトリック主義に立脚した独自な教会建築もこの地にはおおくみられる。かなりの数になるが、その主たるものをあげておきたい。

シャルル豪胆王とその娘マリ・ド・ブルゴーニュの墓のある「ノートル・ダム教会」、13世紀に再建されたゴシック建築の「サン・ソヴァール（救世主）教会」、キリストの聖なる墓を模している「エルサレム教会」、イエスの聖なる血（サン・サン）を安置する「サン・サン教会」など。ほとんどの教会は、この黄金期に建設されている。それに合わせて、福祉政策も展開されていることは、注目に値する。教会は、すすんで巡礼者や病人、貧しい人々、老人などを介護するための施設としてサン・ジャン病院やポトリ救済院などを建立し、さらにそれらを拡大させている。

だが、残念ながら黄金期はそう長くはつづかなかった。栄光は、音をたてて崩れはじめた。１４７７年にシャルル豪胆王が死に、娘マリ・ド・ブルゴーニュは、神聖ローマ皇帝マクシミリアン１世と結婚するが、結果としてこの結婚によりこの地は、ハプスブルク家の領土となる。さらにハプスブルク家がスペイン王の地位につくと、当然にもカトリック教国スペインは、この地を領土にしつつ、宗教的弾圧を展開していった。スペイン、フランス、オランダの宗教的、政治的利権争奪の争いは、この豊かな土地を血の流れる場所にしてしまった。

戦争の終結に伴い、１６４８年には史上はじめての国際条約であるウェストファリア条約が調印されたが、それは同時に不幸にも南北の分割を意味した。

フランドル南部は、フランス領土、北フランドルはオランダ領土となった。さらに16世紀には宗教騒乱を避けることができたアントワープが貿易の中心として世界的にも注目をあび、ブリュージュはしだいに凋落していくことになる。

さて、だれもが例外なくこの街にかかる運河風景を一度でも写真などでみたものは、この美しい風景を脳裏にしまいこみ、夢にまでみて必ず訪れてみたいと想うはずである。私もその例外ではない。なんどかこの運河風景を〈夢の岸辺〉で描いたものだ。

私にとって、夢世界でみたブリュージュは、運河と「ペギン修道院」の静かな木立や、ハンス・メムリンクの絵画や画家クノップフの名と別ちがたく緊密に結び付けられていた。

フェルナン・クノップフ〔Fernand Khnopff〕の絵画は、特に磁力を帯びて、私の心の映像の内部に深く住み込み、心を幻惑へと誘い込み甘美な夢をしばしばみせてくれた。

だが、この街を実見してみると、そのみずから打ち建てていたささやかな〈幻想の塔〉が、音をたてて崩れていくのが分かる。幻惑の度合いが強ければ、強いほどその落下感もおおきいのはいうまでもない。氷のように幻惑がとけてゆくのに時間はかからなかった。まず観光客の多さは言語を絶するものがあった。中世の時間のまま停止したこの街に、世界中の都市からひとびとが群れとなって訪れている。

「愛の湖」〔Minnewater〕という美しい名の湖がある。なにか恋人のささやきが聞こえてきそうな名前であるが、もとは、ブルージュとゲント（ガン）をつなぐ水上輸送の波止場であったという。絵にかいたようにロマンチックに白鳥が憩っている。運河巡りの船つき場などは、乗船待ちの人でごったがえししている。キャフェには、人があふれサンサンとふりそそぐ光を浴びている。背の高い木々がそびえるとても広い道を通りがつづく。

幻惑が消え去るのをおさえつつ石畳をふみしめ「ハンス・メムリンク美術館」〔Memling Museum〕へといそいだ。

さて、この都市紹介のトップバッターに、この地にある「ベギン会修道院」〔Begijnhof〕をとりあげ、その来歴を説明しておこう。「ベギン会」とは、13世紀に成立した女子修道会である。１２４５年創立の元王侯直轄の修道会であった。ただ、普通の修道会とはちがい、〈半聖半俗〉を性格とする。つまりわれわれと同一の生活をしつつ、生涯、聖女としての誓願を立てずに俗なる生活を過ごすことが可能というわけだ。なんとも変則的な修業方法である。そのため、修道院に入っても、自分の家族や親しい仲間達とも交流できるわけである。現在は、この女子修道会にかわって別な修道会がその建物を継承し、運営している。黒い衣服に身をつつみ、ゆっくりとあるく大柄な修道女は、そのまま中世の時間から抜け出たようでもあった。

★メムリンク美術館〔Memling Museum〕

この広大な修道院の敷地をぬけると、またきつい光が肌を刺し、いささか余情をさらにかき乱した。さてこの地には、ハンス・メムリンク〔Hans Memling〕の作品が修められている「シント・ヤン」〔聖ヨハネ St-Janshospitaal〕病院とメムリンク美術館がある。元は、12世紀に開設した治療院であった。19世紀になり医学の発達もあり近代的病院をつくる必要もあり、この中世以来の古い建物は、美術館に変貌した。さらに17世紀の薬局も他の病院に移設されることで、より一層美術館の性格をつよめることになる。

病院内の教会と隣接する「コルネリウス礼拝堂」では、メムリンクの作品6点をみることができる。その内の4点は、もともとこの病院のためにかかれたものという。この画家は、ドイツ人であったが、１４６５年にブリュージュの市民権を獲得して、ブルージュ派を形成するほどになる。彼の美術史上での位置は、ヤン・ファン・エイクの緻密なリアリズムと、ロヒール・ファン・デル・ウェイデンの身体表現や感情表現を継承しつつ、さらに実に的確で敬虔な宗教性をつくりだしていったことにある。

さて、薄暗い部屋の中央には細緻な工芸品である「ウルスラの聖遺物箱」（１４７８）がガラスにおさめられていた。樫材を使い鍍金、彩色されている。これは、「ベルギー7大秘宝」のひとつ。これは、本来聖人の遺骨を収納するもの。〈聖ウルスラ〉は、ブルターニュ王の娘であったが、イギリス王子の妃として嫁ぐこととなったが、結婚条件に、1万1千人をお伴にしてローマ巡礼をすることを認めさせる。

この巡礼の場面がひとつひとつ描かれている。第一の場面は、ケルンの町に上陸するところ。そこで天使が現れ殉教を予告する。第二の場面では、バーゼルに着く一行が描かれている。ここから、徒歩でローマに向けて出発する。第三の場面では、ローマに到着し、法王シリアックから洗礼をうける。第四の場面では、バーゼルでケルン行きの船に乗る。第五と第六の場面では、ケルンで異民族フンの襲撃をうける。川岸に立つウルスラが弓で射られ、少女達を惨殺するシーンが描かれている。

近づいてよくみるとこの函は、ゴシック様式の教会建築を呈していた。屋根の細工はとても美しいの一言につきる。縦面には、保護者としての巨大な〈ウルスラ〉の服に包まれた人物が描かれている。この聖女はおおきなマントの中に少女達をつつみこんでいる。まさに〈聖ウルスラ〉の信仰を顕彰しているのだ。この作品の依頼主は、ヨシン・ファン・ドゥルゼールとアンナ・ファン・モールテルの修道女であったという。

礼拝堂の主座には、「聖ヨハネの祭壇画」がおかれている。この作品は、この病院の来歴を如実に物語っている。聖書に登場する数人のヨハネが登場している。

三幅画の中央には、聖母の左右に守護聖人のように「バプテスマのヨハネ」と「福音書家のヨハネ」が立っている。左には、「バプテスマのヨハネ」に纏わる物語が都市風景と自然風景を背景にして描かれている。『新約聖書』での一番の血なまぐさい場面である「バプテスマのヨハネ」の斬首シーンである。ヘロデ王はサロメの所望により「バプテスマのヨハネ」の首を切り落とし、サロメは、それを盆にのせて踊ったという狂乱のシーンがつづく。この絵の場面では、ちょうど皿の上に首をのせていた。それが興味ぶかいことになんとこの町中で起こった出来事として描かれていた。

左翼には、もうひとりのヨハネである「パトモス島のヨハネ」が岩の上に描かれている。「パトモス島のヨハネ」は、ローマに迫害され地中海のパトモス島に幽閉される。そこで見た幻視《ヴィジョン》をつづった〈黙示録〉を記した。それが『新約聖書』の最後を飾る「ヨハネの黙示録」である。「ヨハネの黙示録」〔ラテン語 Apocalypsis Ioannis〕は、世界の終末とキリストの再臨と審判を克明に描いている。とても優れた文学性をもち、黙示録文学の名品とも呼ばれている。この作品は、当時の政治的大帝国であり、さまざまな欲望の帝国でもあったローマの滅亡と「新しいエルサレム」の到来を渇望しているのだ。

そうした幻視が、画家の想像力をかきたてた。それが単なる空想に堕することなく、宗教的世界観をおびた映像となっている。図では死の封印が解かれて、4騎士が、それぞれのシンボルの馬（4色となっている）に乗っている。それらが斜めに描かれている。それらは聖書の箇所を映像化したもの。

その最後の部分（一部）を引用してみよう。「子羊が第四の封印を解いた時、第四の生物が、「きたれ」と言う声を、わたしは聞いた。そこで見ていると、みよ、青白い馬が出てきた。そして、それに乗っている者の名は「死」といい、それに黄泉が従っていた。彼らには、地の四分の一を支配する権威、および、つるぎと、ききんと、死と、地の獣らとによって人を殺す権威とが、与えられた」。

左上には、楽園、天上の世界が虹に包まれている。このシュールな表現がとてもあざやかに独創的に描かれている。アルブレヒト・デューラーなどさまざまな画家が、この「ヨハネの黙示録」を絵画化しているが、彼に勝るものはない。現実と幻視が交錯してなんともいえない感覚におそわれるのだ。

もう一度画面中央にもどってみる。視点をかえてみる。すると、この室内を飾るカーペットやタペストリーに目がいく。いとも豪華な織物が、目を奪ってゆく。毛織物の産地であるこの地の富が、この作品を描かせ、さらに画家は、その富の源泉である織物をあたかもその絵の主役であるかのように、緻密かつ優雅に描きこんでいる。画家はこの織物の襞ひとつひとつを描くために精根をこめた。その技法には、おもわず驚嘆の声がでてしまうほどだ。

この小礼拝堂の横にも、彼の作品が置かれている。彼の代表作でもある肖像画がある。この若き人物は、後にこの街の市長になった人物。なかなか的確にこの人物の性格をよく把握している。

この美術館のすぐ近くに、13世紀から15世紀に改築された、ミケランジェロの白大理石にかこまれた聖母子像が納められている「聖母教会」〔Onze-Lieve-Vrouwkerk〕がある。ベルギーにもミケランジェロの彫刻があるのだ。この作品が、至高の宝のように中央に君臨している。ローマのバチカンにある「ピエタ」と比較すると、どこか初々しさにかけるようだ。またマリアの顔の表情が美を湛えていない。どこかぎこちないのが気になる。詳しい来歴は知らないが、ただミケランジェロがイタリア国外に残した唯一の彫刻作品であるという。

高さ122mの塔が、悠然とこの都市にそそり立っている。時間の関係で、その聖母子像を中心にみたが、豪華な礼拝堂には、ファン・エイクの祭壇画があり、そこにはブルゴーニュ公国のシャルル豪胆王と娘マリーの墓もある。ただし、この場所には、入場料を払って入る必要がある。今回は遠くから覗く程度にとどめた。

この礼拝堂の席に座っていると、かつてこの古い室内空間で奏でていた昔の音が今にも聞こえてきそうであった。

出口の所では、びっくりする程の壮大な木彫刻が眼に入ってきた。古い教会にとても現代的な宗教彫刻が置かれている。内部はでっかく、くぐり抜かれそこに聖母子が彫られていた。ミケランジェロの作品との新旧対比がとても興味ぶかかった。作者名が不明ではあり木肌がまだ生（まな）であるが、これもまた時間の経過により風格を増してこの教会になじんでくるにちがいないと感じつつ、外に出た。

★グルーニング美術館〔Groeningemuseum〕

次に、この地の一大コレクションを誇る「グルーニング美術館」に足をはこんだ。市立美術館の性格があり、特に15世紀のフランドル絵画の精華をみることができる。

ここでもフランス軍の侵略によりおおくの美術品が略奪されたが、それらが返還されて、美術館の母体となった。この美術館は、１９３０年にブリュージュの建築家ヨゼフ・ヴィエランが、中世の修道院をわざわざ模して設計したという。そのせいであろうか、入口はあまり目立たない。八角形のロビー兼受付けで、荷物を一括おさめて中に入る。天井の狭い部屋が並ぶが、後半になると採光もすぐれ解放感にひたることができた。

その後コレクションは拡大し、2倍の展示空間を確保して、近現代の作品もみることができる。

なによりこの場所で必見なのは、ヤン・ファン・エイクの名品「ファン・デル・パールの聖母」であり、この美術館の華として輝きを放っている。

ここからのコメントはここで買い求めた図録を脇におきつつ、当時の印象を思い出しながらコメントしておきたい。

この作品は、昔からよく霊的な性格が強いといわれている。板絵を寄進したのは、ファン・デル・パールである。その男の面構えは、異様ともいえるリアリズムでもって迫ってくる。膝をつき、意志を発する口の表情。額の皺から顔の筋肉の動きまで、迫真の描写という言葉がこれほどまでにピッタリと符号している作品はとても少ない。いま、少々誤解が生じるかも知れない霊的という言葉で形容したが、それはなにより、そこに描かれているファン・デル・パール以外、総て霊的存在であるからである。聖母子。その左右には、ファン・デル・パールの守護聖人である、龍退治で有名な甲冑に身をかためたジョルジュ。そして左には、ランスの第7代大司教ドナトゥスが立っている。その手には、この聖者のシンボルである蝋燭をつけた車輪を持っている。

ここには、リアリズムの極致が高らかに歌い上げられている。これでもか、これでもかと、精緻に室内を再現しているが、特に物質の質感など絶対的な美を放っている。たしかに精巧につくられた美の結晶体ではあるが、別な観点でみれば、画家ははっきりともうひとつの意志で、この絵を完成していることにきづかされる。それは何か? この街のブルジュアの贅沢さを謳歌していることにきづかされるはずだ。そうだ、彼らの市民性の賛美ともなっているのだ。冷たい床面と暖かい絨緞の質感の対比。白と青とオレンジの対比。細部に神が宿っているかのように、私の眼は悦楽に歓喜した。

記録によると、この作品はこの聖者が守護聖人となっているこの地にある「聖ドナトゥス教会」のために造られたというから、当然教会の壁を飾っていたことになる。

この絵画は、何度みても不思議な世界につれてこられたような感覚を発する作品だ。この圧倒的なリアリズムが、生者も死者も関係なくつつみこみ、見るものは、緻密な描写に酔いつつ、同時に形容ができないほどのいい知れぬ違和を味わうのである。聖母子と大司教やファン・デル・パールらの時空を越えた再会が、幸福感にあふれつつ成就されている。

だが、ここに映像化されているのは、到底ありえない、なんという非現実の出会いではないか。それが、いままさにこの場所でおこっているかのようなリアルな錯覚を与えてくれる。それを幻景ではなく、現実的ドラマ、いやそれ以上に〈聖なる劇〉として感じさせ、見るものにひとつの〈信仰の徳〉を与えてくれるのは、ひたすらこの画家の技量の力ではないだろうか？

ただ、画面をよくみていると、寄進者の食慾さも突然うかんでくる。画中の人物の総ての視線は、ファン・デル・パールに注がれているではないか。聖母に対しても、守護聖人にも、寄進者を図々しく賛美させるこの世俗的人物は、鼻持ちならない俗的性格の持ち主にもみえるが、ただなんとなく憎めないのだ。傲慢の極みのようなこの人物ではあるが、それは、画家の卓越した技量と絵の中の空間構成が、この寄進者の世俗性を一気に帳消しにしているからにちがいない。

もうひとつの名作は、ヘラルト・ダヴィト〔Gerard David〕の「聖ヨハネ祭壇画（キリストの洗礼）」である。この画家は、１４６０年頃にオランダのオウデヴァーテルで生まれ、ハールレムで成長し、１５２３年にブリュージュで亡くなっている。ブリュージュ派の最後を飾る人物であり、メムリンクの後継者でもある。ミニアチュール（細密画）において特別の技量をみせ、15・16世紀にかけてブリュージュでは最も重要な画家であったらしいが、その後は不幸にも彼の名はどうしてかは分からないが19世紀まで長らく埋もれていたという。

この祭壇画は、１５０７年にブリュージュの市長となるジャン・ド・トロンプと息子フィリップがひざまずき、守護聖人たる「福音書家のヨハネ」が後ろに立っている。この祭壇画の見所は、ひとつには澄んだ空気の描写であり、自然の美しさであろうか。また人物達の衣服の鮮やかな色彩美をとりあげておかねばならないだろう。なぜなら、ある種の詩情さえ喚起しているからだ。その美しさを文章において再現してくれるのが、黒江光彦の名文である。それに聞くことにする。

「その広々とした目のさめるようなニュアンスの自然の感覚は、これまでになく新しい質のものである。ブナの木と栗の木を区別し、下草やつる草から一枚一枚の葉に至るまで気を配った綿密な草木が、夕暮の光の中で静かにたたずみ、大きな森、茂み、丘、城のある岩山へと視線をいざなってゆく。

この光の妖術は、楽園ではなしに、地上的な自然の詩情をえがき出し、森と水辺の冷やかな神秘を感じさせる。洗礼をうけるキリストもヨハネも証人の天使も、寄進者も、雫がつくる水紋がひろがるように、この緑に包まれた大気の中に融和する。キリストの説教と「この人を見よ」が木の間がくれにみえ、精霊と神の幻影が空にかかるが、聖なる神秘というよりは古い森が感じさせる抒情と秘密なのである」（「15世紀のネーデルランド美術」――『世界美術大系オランダ・フランドル美術』（講談社・１９６２）

フランドル絵画においても革新的な性格をもっているようだ。このように確実にフランドル絵画に光と緑がはいりこみ、まさしく〈光の妖術〉を伴いつつ〈精霊と神の幻影〉をかもし出してくれている。まさに宗教的な〈聖なるドラマ〉であることとさえ忘れさせてくれるのだ。それにくわえて森や草の表現が見るもの心に安らぎを与えてくれるのだ。

旅行記の「枠」をこえて少し詳しく説明しすぎたかも知れない。でも奥深いヨーロッパ美術をたどるときには専門的な〈予備知識〉がどうしても必要になるのだ。作品の価値を正しく知るためには、その国に開花した独自な文化風土についても学ぶことがとても大事なのだ。私にとって、旅はみずからの狭い知見の限界を知らされ、いつも新しい発見と学びとなるのだ。

さて、他の作品からの注目すべきものを探ってみよう。ヘラルト・ダヴィットのもうひとつの作品「カンビュセスの裁判」がある。さらに、ファン・デル・ウェイデンの「聖母を描く聖ルカ」などがある。後半の部屋は、採光も工夫され実に色彩が豊かにみえる。現代的な感覚での宗教画もおおく眼を引いた。全体として期待以上のものを与えてくれた、とても印象にのこる美術空間であった。

もちろんボッシュの作品は、ここではこれ以上触れることはしないが、見逃すことはできない。特に10室からは、近代絵画が展示されている。やはりベルギーの地でみるその神秘性に富んだフェルナン・クノップフの作品は、特別の感慨をみるものに与えてくれた。

★広場など

この都市を見学するためには、石畳の上を徒歩でひたすら歩く以外方法はない。とても小さい街である。

僅か20、30分もあれば繁華街をほぼ確認することが可能だ。人は「屋根のない美術館」とも呼んでいるようだ。

途中で、「聖血教会」の外観をながめた。この教会は、この都市にとても大切な意味をもっている。〈聖なる血〉とは、受難のキリストが流した血である。中世になり十字軍の遠征により獲得された聖遺物であり、それが奉納されている。日本風にいえば、お祭りの御輿のような行進があれば、その中心となるのがこの聖遺物の「血」であるというのも、極めてキリスト教的である。この「血」を〈本尊〉として大行列がなされる。この街最大の祭でもある。

教会や市庁舎には、カリヨン(鐘)がつけられ時刻を告げている。

このマルクト広場は、ややこぶりだが、街の繁栄を象徴している活気のある広場である。「ギルド・ホール」の偉容がひたすら目立ち、鐘楼がそそり立っている。この鐘楼は、総重量27トン、4オクターブ47個のカリヨンがつけられている。このカリオンの音に聞いていると私達はあたかも中世の時代に生きているように感じるのだ。ぐるりと身体を回転させれば、切り妻風の建物が眼に入ってくる。

街の中では、この街の特産品であるレース織などを実演してくれる店をのぞいた。しばし観光客気分にしたった。数ヶ国語を話せるという女性が、日本語でレースの織り方を説明しながら実演してくれたが、卓越した技法には、溜息がでたほどだった。

私達の宿は、ホテル・ソフィテル・ブルージュである。市街地の西側に位置し、すぐ前に広場が広がり、市場が立っている。この広場は通称「'tZand」と呼ばれている。

この街の歴史をシンボル化した群像化した。とても大きな彫刻が噴水と調和していた。この街には、救貧のための家の伝統があったという。このホテルの隣の〈長屋風の建物〉はかってのそれという。広場が近いということで、駐車場があり、またオートバイのプールともなり、夜があけるまで外は、ライダーたちが集まり結構うるさかった。

ブリュージュの風景＊

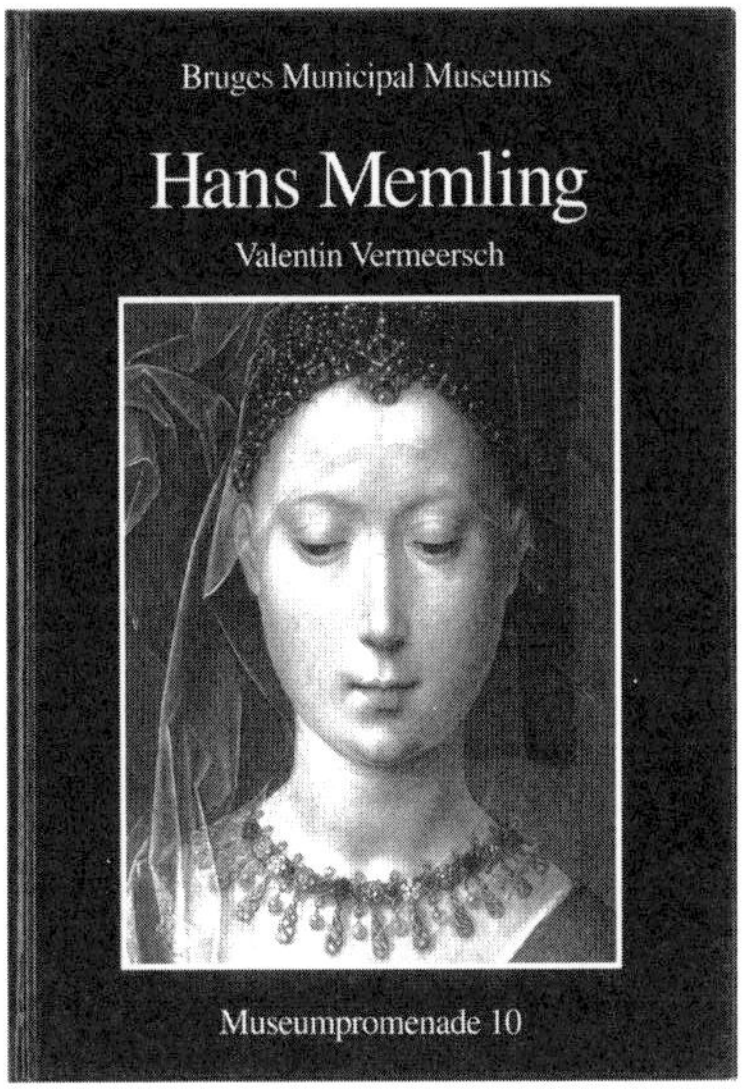

ハンス・メムリンク美術館図録

9　オーステンデ〔Oostende〕とアンソール〔James Ensor〕

★微速度の街ダム

ブリュージュから、リゾートの女王「オーステンデ」にいく途中に、朝一番で、ダムの街を訪ねた。それは、それは、朝の澄んだ空気にみちあふれ、絵の中のような風景が展開していた。ポプラ並木が延々とつづき、広大な野で牛達が草をはむのどかな牧歌の声がそこにはあった。

ブリュージュの外から、ダムまでの最良の交通手段は、運河をゆったりと走る船である。定期バスのように、行き来しているが、その速度がとても鈍い。自転車で走ったほうが、断然速いという位の低速運航である。水面が鏡となり、朝日をあびつつ動く船と風車の立つ岸辺の風景と絶妙な映像をみせてくれた。

この風景。こののんびりさ。このゆったりさ。私は、ここで生活の速度ということを考えさせられた。私は、とくにせっかちなタチであり、猪突猛進のタイプである。歩き方も早足だ。ここにはそれとは全くちがう微速度の時間、つまり音楽でいうところのアダージョかレント的速度が流れていた。なにも急ぐことはない。もっと、風景を楽しむべきなのだ。みんなそれも忘れてしまっている。

まず、現代人たるもの、自分自身というものをとりもどすためには、生活の速度をスローダウンさせるべきだと、ここの風景はおしえてくれているように感じた。私達は、少しでも早く無駄をはぶいて目的地にむかって歩行することを第一義にするため、その途中の時間と空間をどうしても切り捨ててしまう。だが、その途中の脇道に、野の花がひっそりと咲いているかもしれない。新しい発見があるかも知れないのだ。速度を落すと、はじめ視えなかったものが、あざやかに見えてくるのかも知れないのだ。

ところで、この運河の再評価がヨーロッパではひときわ高まっているときく。イギリスをはじめとして産業革命後には、交通手段において蒸気機関車が主役となり、社会生活全体を改変していったが、近年、イギリスでは、運河の見直し運動が盛んであるという。あれ放題になった運河や河川や水門を改修して、船が通れるようにする保存運動が市民の中から起きているときく。風の匂いを身体全体であじわい、ゆっくりと流れる雲をみつつ、風景と出会うこと。そんなことを楽しむ。

それは、考えようによってはどんなものよりも価値があり、最高の幸福であるかもしれない。現在、日本でも水辺環境の再評価がいわれ、「ウォーターフロント」という言葉がとびかっているが、この地では今も特別に背伸びをしないで、ゆっくりと水辺を利用しているこの姿には、学ぶところがとてもおおきい。

ダムではほとんど人がいなく、街の小さな広場までのんびりと歩いた。その広場もとても小さく、数軒の店、ギャラリーや骨董品屋やレストランなど並んでいる程度。街の通路に置かれた細長い彫刻がとてもエレガントだった。ブロンズ彫刻であるが、モニュメント的な野外彫刻というだいそれたものではなく、フクロウなどの小さな動物達と人間が仲よく遊んでいた。

★オーステンデ〔Oostende〕とアトリエ

オーステンデ、この地は、私の予想をはるかに越えて大リゾート地であった。陽光があふれ、古い町並みに観光客があふれている。でも港特有の潮の匂いが鼻をつき心地よい。バスは、オーステンデの駅をすぎて、最初にジェームズ・アンソール〔James Ensor 1860―1949〕の生家〔James Ensorhuis〕にむかった。

20世紀ベルギー美術界を代表するこの画家の生家が、現在美術館となっている。入口は、ショーウィンドーとなっており、どこからみてもなんの変哲もない家である。近くによってみると、プレートが飾られ、アンソールに由縁のある家であることが、辛うじてわかる程度である。かつて店であった所が、現在受付となっている。周りの棚には、ずらりとアンティックな小物や仮面などが置かれていた。ケースの中には不気味な魚や小さな獣などがおさめられていた。そこから全てアンソールの世界である。

彼は、ベルギー人を母として、イギリス人を父として生まれた。両親は、ここで骨董品などを売る店を経営していた。アンソールは、幼い時からなんの違和感もなく、西洋のみならず、東洋からもたらされた仮面などをみて親しんでいた。この仮面が、彼の絵画の主題や素材となり、人間の内面を深く表出させる表現主義的絵画をつくり出していくことになる。ここには、彼の油絵の作品がないのがとても残念であるが、彼が生活し制作していたことは肌で実感できた。

ここでみた中では、聖書を主題にしたエッチングの作品などが良質の価値をもっていた。ただ全体にこの美術館は、照明が不十分であり、また展示もみにくかった。そしてあまり資料など整理されていない感じがした。となると、むしろここの主役は、彼が生活し呼吸したこの建物空間そのものであろうか。

薄暗い階段には、世界各地で開催されたアンソール展のポスターがずらりとならんでいた。みると日本では鎌倉にあった神奈川県立近代美術館で開催された時のものも色が褪せつつもあった。それ以来、しばらく日本では開催されていないことが分かる。ひと部屋には、彼の手のブロンズとパレットがガラスに囲まれて置かれている。複製ではあるが、彼の代表作である「キリストのブリュッセル入城」が掲げられている。

彼にとって大変な問題作であり、また代表作でもあるこの作品について語っておきたい。

このオリジナルな作品と出会うためには、アメリカのロサンゼルスにあるJ・ポール・ゲティ美術館に行かねばならない。１８８８年の作であり、サイズは〈２５８×４３１㎝〉と、とても大きい。この絵は28歳の時のものであり、当時の彼の意気込みが感じられる大作である。いつの時代も、新しい芸術は、大衆や保守主義の無理解に苦しむもの。それにとどまらず当時彼の絵は、前衛的なグループである「20人会」からも出品拒否されていた。当然にもこの絵も展覧会に並べることはできなかった。このように、他の画家とは交わることはなかった。むしろ孤立しつつも、信念をもって時代を先取り、他の画家の誰よりも未来をみつめて新しい絵画とは何かを探りつつ、人間の内面世界を表現した。激しく、荒々しく絵具が塗られた作風は理解されなかったが、それに立ちすくむことなく渾身の力をこめて実験と冒険をしたのだ。

この作品の特質をさぐるため、すこし画像を眺めてみよう。カーニバルの仮装行列シーンを舞台としてえらんでいる。音楽隊が行進し、街の人たちは仮面をつけて参加している。手に掲げた旗は、とてもユニークで当時の人々が行進の時にかかげた旗のようでもある。そうした街の行進の中央の後ろには、ロバに乗るキリストが描かれ、それからの後部分は、とても細かく人物が描かれている。右側下横には、物見台もあり、その下にはどこかえらそうな紳士が配置されている。このように、実景と仮構、現実と幻想が混在するダイナミックな構成となっている。

この主題は、明らかに『新約聖書』が記述する〈キリストのエルサレム入城〉をもじっている。キリストは受難を覚悟して入城する。どこかでこの画家はみずからをキリストに擬えていないだろうか。音をたてて行進するこの群衆の喧騒は、きっと無知蒙昧の輩や、彼の芸術を正しく評価しなかった批評家に対する痛烈な揶揄ではなかったか？　仮面群と人々の醜さは、それらをシニカルにシンボル的に表現しているようだ。

さて、この作品が特に異色なのは、この作品の上部にしるされた文字である。そこには〈VIVE LA SOCIALE〉（社会主義万歳）と記されている。さらに右中段にも〈VIVE LA JEJUS〉（キリスト万歳）さらに〈ブリュッセルの王〉の文字もみえる。

画中に文字をしるすこと。それは、現代美術作品としては、コラージュやピカソの絵などに頻繁にみられるなど、今ではあたりまえにはなっているが、当時としては、とても冒険的なことではなかったか。それにとどまらず、19世紀末の社会状況下にあっては、この〈社会主義〉という文字を入れること自体が、危険な冒険であった。社会主義は、極めて危険な思想ではなかったか。それは、この作品がかかれた同時代の社会的な出来事をすこし並べるだけでも、その状況把握が容易にできるであろう。リンカーンの奴隷解放宣言が1863年。パリ・コミューンが1871年。ロシアでナロードニキ運動が起こったのが1874年。こうした社会的事件は、ほんの一部の革新的出来事であった。保守と自由主義は、まだまだ強固な体制を保持していたのだから……。美術史をみても、印象派は、古い体質のアカデミーと抗争している真っ最中であった。そんな時期に、〈社会主義万歳のマニフェスト〉を絵画の中に書き込んだ。それはそれだけで社会的大事件となった。

ところでアンソールは、〈仮面の画家〉といわれるが、なぜこんなにも仮面を人物にかぶらせたのであろうか。私はどうしても彼の絵をみていると、フランドルの画家ボッシュ（ボス）の「十字架を担ぐキリスト」を連想してしまうのだが……。

カトリック思想を基盤にしつつ、異端的キリスト教絵画を構築したこの画家は十字架を背負うキリストの周りに、異様かつ醜悪な表情の人物たちを配置した。どうしてもこの作品が影響を与えているとおもってしまう。確認はできないが、アンソールも当然にもこの作品の図像をみていたはずである。キリストだけが人間の顔をして群衆の中で孤立しているのだから……。

アンソールは、この絵を単に宗教画だけではなく、みずからの芸術の問題として、新しい解釈を試みたようだ。真の芸術の革新者としての自己とキリストと二重にだぶらせたのだ。ここではアンソールは人間の心の深層を仮面の下にみることを示唆する心理学者になっているのだ。来るべき大衆社会の真実の姿は、醜さであり、虚偽であることをも予告しているにちがいない。それゆえ私には、彼はある種の社会学者のような眼ももっていると感じてしまうのだが……。

★アンソールの世界

彼の画歴をもうすこし紹介しておくことにする。

このオーステンデの海をみて育ち、一生涯この街を愛したこの画家は、自分の内心に従いつつ、みずからの絵画世界を広げることを行った。

ベルギーでは各地の美術館でアンソールの絵画をみたが、なによりも油絵の伝統をしっかりと守り、印象派のような外光ではなく、むしろ人間の心の世界を描こうとしたのがよく分かった。とかくアンソールというと、〈仮面の画家〉としてひとり歩きしているが、死を追想するキリスト教的な伝統にとどまらず、中世以来つづく民衆のドラマでもある〈カーニバル〉での仮装や祭での喧騒が継承されていることがよみとれた。ボッシュやブリューゲルが育てた風土をたっぷりと吸収しているにちがいない。19世紀末の時代の雰囲気を生きた彼は、大変動する価値やそこに生きる人間の実像へと関心を掘り下げていった。その同系の仕事をした画家には、ロートレックやムンクがいる。

彼は、さきにものべたように、当初「20人会」〔Les Vingt〕とよばれるグループに参画したことがある。この「20人会」とは、ウィーンで成立した「分離派」に相当する団体で、もともとは、サロン落選組が、自主運営で展覧会を計画したことからはじまる。１８８３年、サロン落選の約20人の若者が中心となってブリュッセルで設立させたが、その中心人物はこの地の美術評論家オクターブ・モースとエドモン・ピカールであった。この組織は、１８９３年まで活動を継続し、雑誌『現代芸術』の発行もおこなった。その後、この組織は「自由美学」というグループへと継承されていった。会のメンバーは、実に多彩である、アンソール以外の名をすこしのべるだけでもそれが理解できるはずだ。創立、招待メンバーにはクノップフ、ヴァン・デ・ヴェルデ、ギョーム・ヴォーゲルスなどがいる。

この「20人会」は、さらにベルギー国内にとどまらず国際展を開催し、ロダン、モネ、スーラ、ゴーギャン、セザンヌなども出品している。アンソールがみずからの評価をうけるのは、かなり後年のことになる。１９３０年代になり彼の名声は、一段と高まっていった。時代がようやく彼らに追いついたのだ。いつしか〈前衛の騎士〉のレッテルはかき消え、押しも押されない巨匠の位置をしめていく。彼には無縁ともおもえた国家的評価もなされるようになる。１９２６年には、なんとヴェネツィア・ビエンナーレのベルギー館のメンバーに選出され、１９２９年にはベルギー政府より男爵の称号をうけることになる。さらにフランスよりレジョン・ドヌールの勲章をうけている。

最後に、彼の作品世界について、少し重複するが私なりにまとめておくことにする。

イギリスを向こう岸にみつつ、ベルギー人とイギリス人の血を半分ずつ持ったこの画家は、このオーステンデ家のひと部屋で、北海を眺めつつ、ある種の自己像探しをしていたにちがいない。中世以来の笑いも含む、〈死を想う〉伝統にどっぷりと身をひたしつつ、仮面の下にかくされた人間の実体を描こうとした。そんな内視する画家だ。仮面をつけることで、生身の表情を消すことが可能になった。ひとたび、仮面をつけさせることで、肉親も友人もすべて匿名化させることができた。それは人形劇のようにだれかに操られているような存在。そういえばアンソールは絵の中にギニョール（人形）をよく描いているではないか。そんな不安定な感覚もつくり出すことができた。

一説によると、幼年期より虚弱体質であったという彼は、どこかでいつも死を隣に座らせ、知らず知らずのうちにそれと対話していたのかもしれない。また、27歳頃に父を亡くした体験も死と親しむ契機となったのかもしれない。ただ、彼の骸骨表現や仮面劇は、かなりの辛辣な人間凝視により支えられていたことを忘れてはならないだろう。文学的素材ともなる仮面や骸骨ではあるが、画家たる彼は、頭蓋骨などに不思議なリアリティや造形的な魅力を感じていたようである。眼球が喪失し、窪みのある物体。その死のオブジェは、みればみるほど、何かを彼に語りかけてくれたようだ。そういうふうに感じてしまうのは私だけではないはずだ。それはボッシュなどとは全く違う感性だ。現代人アンソールの気分であり、それはきわめて個人的な心性に支配されていたのだ。

もうひとつの特質は、くり返すことになるが、その骸骨達が演じる劇に、とても強い風刺と辛辣なメッセージを内包させている点だ。宮廷画家ゴヤにも同様の辛辣な眼があるが、それと同質の醒めた視線がある。「燻製の鰊を取り合う骸骨」「首吊り人の死体を奪い合う骸骨」などには、醜悪な人間を風刺する鋭い棘《とげ》がある。甘美さを避けつつ、どちらからといえば、油を塗りたくる画風を貫き、いつもどこか突き放したような冷たい眼線を放った。これがアンソールの作品の特質である。つまり、イーゼルの前にたち、彼は絵の中で自己批評をしつつ、人間と社会を心理的にも分析しているのだ。ここに彼の絵画精神が脈打っているのだ。

骸骨や仮面の主題をさらに消化しつつ、ベルギー現代絵画で新たなる展開へと踏み出したのが、ポール・デルヴォーである。その相関性については、別な機会に論じることにするが、彼の絵の中にも骸骨がとても独創的主題となっていることだけは忘れてはならないことだ。

話をオーステンデに戻そう。その後、アトリエの周りを探索した。海辺への方へと、ゆるやかな坂になっているが、その一帯にはお土産品や骨董品、さらにはギャラリーなどが並んでいた。日本海そだちの私は、やはり湖や沼では満足できないようだ。潮のかおりや波音はこころに安息を与えてくれるからだ。

この旅行で始めて海をみた。岸壁には、老いた夫妻や、車椅子を押し散歩させる人、子供達は、ローラースケートに乗りとさまざまな人が、おもいおもいに散歩している。それは、題名は思い出せないがどこかでみた映画の一シーンのようでもあった。岩壁の階段をおりると目の前に北海が広がってくる。深い緑色の海が横たわっている。限り無くつづく砂浜。よくみると泳ぐ人はいない。犬も子供も、大人も水際で波とたわむれている。真夏でも、どうも水温が低く水泳には不適のようだ。となるとあとは、日光浴しかない。めいめい、おもいおもいに恵みの太陽光の愛撫をうけている。私達もこの時ばかりは、子供となり貝を拾い、しばしの間波と戯れた。この砂浜をずっといくと、ダンケルクに至るのだ。映画「史上最大の作戦」(1962)にも登場した、第二次世界大戦末期に連合軍が上陸作戦を決行したノルマンディーのダンケルクは、こうした砂浜であった。

海水がたまった所は、海藻がついて緑色になっている。それが苔のように特有の色彩をみせており、北海のグリーンと対話していた。駅舎の隣に目を向けると、連絡船のおおきな桟橋があった。この街は、現在もなおイギリスを結ぶフェリーが航行している。港の岸一帯には、所狭しと市場と店が立っていた。とりたての貝やエビ、魚などが店先にならべられている。2、3の店をのぞいてみたが、日本ではみることのできない魚も並んでいるし、同一のものもある。共通しているのは、魚屋さんの威勢のいいところであろうか。レストランを予約してなければ、潮風をあびつつ、ゆっくりと立ち食いをしたかったほどだ。人波をかき分け、ようやく港街のきどらない庶民風のレストラン「ミトランド」についた。海側よりの、太陽があたる席にすわった。

恵みの太陽に汗をかきつつ、エビ料理をいただいた。現地の人であろうか、隣の席に座った二人組は、でっかい黒い器に入ったムール貝をうまそうに平らげていた。

ジェームズ・アンソールの家（ショーウインドウ）＊

※このオランダ・ベルギー美術紀行は、１９９７年7月31日から8月11日までの旅の後にツアー参加に配布した私的レポートをベースにしてある。

［アートコラム１　ユイスマンスとルドン］

★モローの時代

ギュスターヴ・モロー〔Gustave Moreau〕の有名なエピソードを初めに語りたい。それは、彼の絵画を理解する上で重要な資料となるであろう。モローは、夜間に、それもガス灯の光のもとで絵を描いていた。という伝説的なエピソードである。

昼間の光をひたすらさけ、夜を愛し、夜の闇のなかで密室ともいうべきアトリエで絵筆をうごかすこの姿に、何かしら秘教的なものを感じるかもしれない。ただ、ドイツのロマン主義の旗下にいたフリードリヒのような悲劇的体験もなく、また、秘教的事件もない。秘教的どころか、一方では近代美術史を大きく切り開く重要な役割を果たしているのである。

１８８１年以後、サロンより遠ざかり、街中の自宅に隠棲しつつ、同時に美術アカデミーの会員、エコール・ド・ボザールの教授をつとめているのである。その自由で個性的な教授法から、数多くの人物が輩出していったという。

マティス、ルオー、マルケ、カモワンなどはその弟子となった。モローは、「私は君たちが渡ってゆくための橋だ」といったという。彼らは革新的なムーブメントとなった〈野獣派〉を産みだしたのである。つまり野獣派の産みの親はモロー自身といっても決して過言ではないようだ。

この1881年という時代を少したどって見ることにする。ルドルフ・サリなる人物は、モンマルトルに、キャバレー「シャノワール」（黒猫）を開いた。詩人、画家などのボヘミヤン（放浪者）があつまり、自由な文化がつくられつつあった。また、都市文化も華開き、オペレッタ、ワルツそして、シャンソンが流行した。まさに「ベル・エポック」（美しき時代）の華が咲き誇っていたのである。

都市化が進行し、カフェに芸術家がたむろし新しい息吹を発していた。そうした新時代の足音に逆行するように、モローは古代の神話世界や聖書世界に退行し、そのいにしえの物語の世界を旅をし、一方で冷たいビザンティンの薄明を追いもとめていたのである。

かれの作品のほとんどから、このビザンティンの芳香がプンプンと発している。「オイディプスとスフィンクス」（1864）「オルフェウスの首を抱くトラキアの娘」（1865）「出現」（1874－76）「一角獣」（1885）「ユピテルとセメレ」（1895）などを列挙してみるだけでも、その耽溺ぶりがわかるというものである。

それぞれの画像を見る時、おびただしい裸の女が描かれていることに驚かされる。「イアソン」の勇士とそのかたわらの女、「出現」に見るサロメ。ユピテルとセメレの血にぬれた女などである。数えたらキリが無いほどに、女たちは悩ましく、妖美を放つのである。それはまさに退廃の美。倒錯の美である〈冷たい宝石〉の光を放っている。

〈冷たい宝石〉の具体的イメージをたどるとすれば、どうしても〈サロメ〉像にゆきつくことになる。〈サロメ〉とは、もちろん聖書（新約）に登場するヘロデ王の娘であり、洗礼者ヨハネの首を所望して、その切断された首をもっておどるという、魔性をもった女である。そんな女が、何故数多く描かれることになったのか理解に苦しむところではある。そこには、当時の時代背景が反映しているのも一因のようだ。つまりそれまでの男性中心社会に抗して、つまり、女性の台頭、女権の伸長があったということを忘れてはならないだろう。

言い替えるならば、女性の社会的な自立が一般化し、さらにヨーロッパ文化の爛熟により、美の価値感に亀裂が入りこみ、退廃、〈デカダンス〉〔decadence〕の美こそ、崇高なものという新しい価値観が大きなパワーをもってきたわけだ。それはやや気味の悪い、しかし、なにか魅力をもった妖性を帯びた美であったにちがいない。

★デカダンスの美—ユイスマンス〔Joris-Karl Huysmans〕

〈デカダンス〉といえば、ジョリス＝カルル・ユイスマンスをあげなければならないだろう。今回のテーマであるギュスターヴ・モローとルドンを語る上でも重要な人物である。

ユイスマンスは、『さかしま』〔À rebours〕で主人公デ・ゼッサンスに〈デカダンス〉の衣を着せて飾りたてたのである。デ・ゼッサンスの部屋は、蝋燭の火でかざりたて、壁は蝋燭の光がはえるオレンジ色。部屋は、船室風になっており、船窓をかたどったマドには、水槽をおき、玩具の魚を泳がしたという。この人工の楽園は、〈反自然の城〉となり、そこでは、限り無く快楽的な儀式がひそかにおこなわれていたのである。海亀の背に宝石をつみあげ、その光輝を味わい、また毒々しいベコニヤの葉をあつめ、それを愛でるという、こうした〈デカダンス〉の趣味は極めて異様な風景にはちがいない。

ただ『さかしま』の作品が重要なのは、ただ人工の楽園を想像したことのみにあるのではない。第5章には、絵画評がしるされ、12章と14章には現代文学評論がしるされているからだ。つまり当時の一級の評論集の性格も帯びているのである。

デ・ゼッサンスは、モローの2つの作品『ラ・サロメ』と『出現』に出会うのである。サロメについては、〈破滅し難い色情の表徴的女神、肉を硬直させ筋を固定させる硬直病により、すべての女の内から選ばれ呪われる美女、古代のヘレーとひとしく、ちかづくものを、みるものを、触れるものをすべて毒する、無関心で無責任で、無感覚な、奇怪きわまる牝獣〉とのべている。

『出現』については、〈洗礼のヨハネの首からほとばしりでる強い光のもとで、すべての宝石の切り子は燃えたつ。宝石は生命を帯びて、白熱した光で女の身体を描き出す。脚にも、腕にも火花が炭火のように赤く、ガス灯の焔のように菫色でアルコールの火のように青く、星の光のように白い光がひかる〉と。

このように、みずからの文学の出発を自然主義の師エミール・ゾラからはじめたユイスマンスは、意識して〈デカダンス〉の色濃い文学空間を選び取っていくことになるのだった。

★オディロン・ルドン〔Odilon Redon〕の世界

モローの神秘的主義、秘教的主義は、ユイスマンスに多大なる影響を与え、彼の文学的開眼をなさしめたのである。そのユイスマンスは、さらにルドンを発見することになる。

ユイスマンスの心の中では、ルドンの絵画世界に棲む人物こそモローの描く人物とぴったりと符合したようだ。

夢想の彼方への旅。文学の革新のための新しい血を画家たちから受取り、未到の神秘的な楽園をつくりだしたのである。南仏ボルドーでうまれたオディロン・ルドン。病的なルドン。絵のデッサンと音楽には、特に興味を示したという。ボルドーの美術館ではミレー、コロー、ドラクロワと共にモローなどの作品におおいなる刺激をうけたという。はじめ建築家志望であったが、挫折し、絵画へと方向をかえたという。画家になるに際して影響を強く与えた2人の人物をここで登場させる必要がある。

1人は、クラボーなる人物。植物、微生物学者だ。もう1人は、奇怪な幻想風の銅版画家ブレダンである。なぜこの二人が大切かといえば、クラボーからは、生命の不思議さや微視なる世界の存在を教えられ、さらに詩（ボードレールやポーなど）やさらには哲学（スピノザ）を教えられたからである。

この二人の影響は、さらに彼の中で合体、融合されていった。石版画シリーズである作品集『夢の中で』、『エドガー・ポーに』、『悪の華』などの記念碑的作品をうみ出すことになる。つまり文学からのヴィジョンがあらたなる創造の原動力となったのだ。

その詩的なヴィジョンは、さらに彼のなかで発酵し、飛躍し、版画のなかに具体的像として記述されていくことになる。この作業は、なんと30年あまりもつづけられ、50歳になり、後半のパステル画登場まで継続されることとなる。しかし、パステルという色彩あふれる材料をもちいても、また自然の花などをえがいても、決して内側から発する光は不変であった。それはどこか陰花植物のような花に私にはみえるのだが。

現代人の私達がルドンの闇を見る時、いいしれぬ安堵感、平安感をあじわうことができるのはなぜであろうか。そこには、深い闇がひそんでおり、この深い闇から、どこか不思議な神秘的音楽が聞こえてくるからなのかもしれない。

この黒という色は、当時、クールベらが民衆の市民的アイデンティティのシンボルとして用いたものである。初めこの色は、喧々がくがくの論議を引き起こしたといわれる。それだけ、下品な階層の色、また野卑な色の代表であったといえよう。芸術の色彩という側面でも、階級性が支配していたことになる。

ルドンは、さらにこの色を階層性において下位だった位置から引き上げ、聖なる存在にまでたかめたのだった。こころの中に静けさと神秘的安らぎを与える意味ある存在にまでひきあげたのである。

※この小論は１９８９年に朝日カルチャーセンター札幌教室で開講していた数回にわたる〈ヨーロッパの世紀末〉をテーマにした講義内容の中から〈ユイスマンスとルドン〉に関する部分を再録した。

［アートコラム2　ヨーロッパ世紀末芸術の一断片］

★ヴィクトリア時代の女性

19世紀イギリス世界を概観してみるとき、現在と大層ちがう文化的差異が存在していたことに驚くであろう。では19世紀イギリス世界をイメージしてみるとき、一体どんなものが心に浮かぶのであろうか。それはきっと「シャーロック・ホームズの世界」であったり、ルイス・キャロルの「アリスの世界」であったりするであろう。人々は、この時代の事を〈ヴィクトリア時代〉と総称する。華やいだ黄金期として位置付けるのである。ただそれを産業革命が進行し、社会的繁栄が謳歌され、都市文化が開花したプラスの側面からのみイメージするならば、まちがいなく不完全となるであろう。

たとえば、「シャーロック・ホームズの世界」は、ロンドンはある種の犯罪都市であることを言い表《あらわ》している訳である。２７０万都市ロンドンは、煤汚れた街であり、娼婦、浮浪者、下層民が屯する犯罪の洞窟でもあったからである。

また一方、家庭のなかに入っていくと、古いモラルにしばられた女性の悲劇をかい間見ることになるだろう。女性が解放された現在からは、到底信じがたい女性隷属の風習がまかり通っていた。

ヴィクトリア女王もまた、家庭に入るならばよき家庭人として夫のアルバート公につかえていたという。

では、男はどうしていたか。保守的モラルを女に強制し、外では遊びにふけっていたのである。当時はパブが流行した時代であり、男たちは外で気晴らしをし、娼婦街にも足しげく通ったのである。

ところで、こうした隷属的位置におしこめられていた女性たちは一体どうなったのであろうか。女性層におおいにはやったものがある。〈水割りアヘン〉ともいうべき、ある種の麻薬がこのまれたという。

これは、〈ロードナム〉といわれるもの。今回のテーマであるプレ・ラファエッロ派の中心人物、ジョン・エヴァレット・ミレー〔John Everett Millais〕やダンテ・ゲイブリエル・ロセッティ〔Dante Gabriel Ressetti〕のモデルとなったシダルという女性は、文字通りこの〈水割りアヘン〉の中毒にさいなまれていた。この悲劇的女性の一生をかたることは、当時の女性の一般的傾向を語ることにもなるであろう。

この女性モデルの姿をおもいうかべることはわりあい簡単である。ミレーが描いたあの水辺に浮かんだ死人の女性オフィーリアを思いだしていただきたい。絡み合う長い髪。水草のうかんだ冷たい水面と透明感。鏡のような水面。描写が写真のようにリアルなので、この悲劇のドラマも一層迫力をましてくるであろう。

実はこの絵画制作にまつわるエピソードがある。ミレーは、よりリアリティを出すため、バスタブに彼女をうかべ模写したという。そこには、ランプをいれて暖めていたがそれも消えてしまい、結果として長時間にわたるバスタブづけにより、この女性は肺炎になり体をこわしたという。

帽子売りの貧しい階層出の彼女は、ミレーの次ぎにはロセッティのモデルとなった。モデル兼愛人のような生活に終止符を打ち結婚したが、ロセッティの愛は、虚りのものであり、彼女の肉体と精神は、一層さいなまれていった。そしてさらに体は次第に〈ロードナム漬け〉となっていった。当時レディィズ・コンプレックスに効果あるとして常用されていたのである。

絵画世界では優美に、かつ永遠の女性として描かれていたが、それはあくまで絵画世界の中での出来事であった。それはどうみても〈虚構の映像〉であったのである。ここにプレ・ラファエッロ派の絵画の隠された事実がある。絵の中の永遠の女性は、実は、全てとはいわないが理想の美をになわされながら、冷たく人工の宝石のようにみえてくるのはそのためであろうか？

また女性の社会的地位は、低くおかれ、男に捨てられた女には死が待っていたのだった。シダルは、みずからの運命を呪うことしかできなかった。生きる余力はもうなかった。テーブルの上にはからっぽの〈ロードナム〉がおいてあったのである。意識不明となった彼女のまぶたは、重く閉じたままであった。それは、まさに19世紀における悲劇的な〈オフィーリアの死〉といっていいのではないだろうか。

★プレ・ラファエッロ派〔Pre-Raphaelite Brotherhood〕

中世世界への回帰をめざし、その理想をルネサンスの画家ラファエッロにおいたこの運動は、様々な相貌《かお》をもっていた。たしかに当時の芸術の革新運動には違いないが、その内実は、まだ研究されつつあるし、このラファエッロ以前そのものをどう解釈するかについてもまだ意見の分かれるところである。

1848年にこの「PRB」が結成された。はじめ3人の若者によって結成された。ウィリアム・ホルマン・ハントは21歳、ダンテ・ガブリエル・ロセッティ・ラファエッロは24歳、ジョン・エバレット・ミレーは19歳。

いずもロイヤル・アカデミー・スクールに学んでいた仲間であった。

かれらが、登場するバックグラウンドを探ってみたい。次の要因が相互的に関係していることに気づくであろう。

（1）ゴシック・リヴァイバルの風潮〈国会議事堂の再建など〉。

（2）芸術と社会の関係の調和思想の高まり。社会思想家ジョン・ラスキンの影響。

（3）ドイツ・ナザレ派の影響。イタリア・ルネサンスへの興味など。

ではこのイタリア・ルネサンスへの興味はどのようにはじまったのであろうか。15世紀の画家ゴッツォリの描いたピサのカンポサントの複製画をみて心がゆれ動いたという。つまりラファエッロ以前の絵画世界、つまり素朴かつ古代のすばらしい美術に立ち戻ろうとしたのである。

彼らは、印象派の4半世紀前に、もう戸外にでて、自然を描写しはじめていた。また手法的にも下地に白をもちいた。これは、フレスコ画の手法の応用であった。このことは印象派の先駆的役割をはたしているともいえる。大事なことがある。〈自然の発見〉をしていったのである。彼らは長時間にわたって野外で自然を観察し、その色彩の明るさをキャンバスに残そうとしたのである。

ところでこのプレ・ラファエッロ派のムーブメントは、おおきく二つに分けることが可能だ。第一次は、1850年に全盛期をむかえた。この時期の特徴は、細密描写である。当時は作品が色付き写真とまでいわれたほどであった。それが如何に緻密であったかを知るためには、ミレーの「オフィーリア」（1852）やハントの「皇太子御成婚の夜のロンドン橋」（1863）などをみるだけで、そのすごさを十分うかがい知ることができるであろう。

ジョン・ラスキンは、〈わざわざ彼らは写真を模写したのではない〉と弁護をせざるをえなかったのは、それだけ写実に徹していたためであろう。このラスキン自身も、すぐれたデッサン、水彩画を残しており、その細密描写の技法には驚くばかりである。

さて、彼らのつくりだした世界は、その特異な女性像に典型的にあらわれている。センチメンタルな女たちは、その瞳には、憂愁な影があるし、そこには暗い性の情念がひそんでいることを知るべきであろう。オフィーリア、さらにベアトリーチェなどが好んで描かれたのであるが、彼女らはどこか共通してメランコリーな表情をみせている。ここに顕現している美意識は、この運動の共通母体となっている。

一方で自然主義の傾向をもちつつ、他方では、ロマン的なものと神秘的なものへの耽溺など、相対立するものが混在しているのである。美術評論家ロマン・ホフシュテッターは、まさにその点にこそ「世界希求と世界逃避を一体化しているひとつの時代の特殊な精神の状態が表現されているのである」（『象徴主義と世紀末芸術』美術出版社・１９７０）と論評するのだった。このように指摘されるように、この理想と現実のギャップでのただ中で、あくまでロマン的に理想化するという特殊な精神の状態へのこだわりこそプレ・ラファエッロ派のもうひとつの本質なのかもしれない。

この運動は、Ｊ・Ｍ・ホイッスラーの印象主義によって攻撃をうける。時代は大きく転換していたのである。次第にメンバーもこの世を去り、それに伴いプレ・ラファエッロ派の影響はしだいに弱まってゆくのだった。あの線の優美さは、ポルノグラフィックな表情にとってかわられた。また線は、さらに一層有機的にかつ流動的になり、アール・ヌーヴォーの新様式を生み出してゆく橋渡しをすることになる。

他方、ウィリアム・モリスは、民衆への関心をつよめ、工芸と芸術の一体化をめざしながら、社会的な地平へとおおきく歩みだしていった。それは、民衆のレベルから始めようとする〈芸術の統合〉という立場であった。

★ビアズリーの登場

オーブリー・ヴィンセント・ビアズリー〔Aubrey Vincent Beardsley〕を色で表現するとどんな色になるであろうか。それは野卑な色、イエローであり、当時の時代をおおっていた黄色の霧のイメージではないだろうか。１８９３年に新しい美術雑誌『スチューディオ』が発行した。それは同時にビアズリーの登場となった。そこには、血潮したたるユカナーンの首に接吻する魔性の女、サロメ〔Solome〕が描かれていた。

このサロメは、従来のサロメ像と、造形的にも大きくちがっていた。黒と白のみの造形。修飾的な線がつくりだす不思議な美意識。人間もデフォルメされたイラスト風な大胆な処理。この作品はあまりにも有名であるが、彼にこの作品を書かせたのは、アイルランドのダブリン生まれのオスカー・ワイルド〔Oscar Wilde〕のフランス語でかかれた『サロメ』であった。ワイルドは耽美的、退廃的な19世紀文学の旗手だった。

さらにイギリス語版の『サロメ』〔Solomé〕発行のため、その挿絵をたのまれたのである。ビアズリーは、この作品で全く新しい仕事をつくりだしたのである。ひとつはプレ・ラファエッロ派からの脱皮（脱出）だった。

輪郭線をより強く用いて生命《いのち》とした。それを造り出すために新しい印刷術を応用し積極的にそれをとりいれた。それは、「ライン・ロック法」といわれ、原画を彫り師を経由しないで、直接的に印刷するもの。それにより、平面性が強調され、モノクロのドラマが再現されることになった。興味ぶかいことがある平面性の画面構成には、日本の浮世絵の影響が強くみられることだ。

ビアズリーは、さらに過激になり、雑誌『サボォイ』を発行し、一層辛辣な画像で、19世紀のモラルを激しく攻撃し、揶揄していくことになるのだった。ポルノグラフィックなグロテスクものを描くことで、偽善的な道徳をかぶった人間の仮面をはがしていったわけだ。

その意味では、一面では彼の線はアール・ヌーヴォーの線でもありつつ、極めて社会的プロパガンダをふくむものであったのである。最後に1つのべておきたいことがある。ワイルドの墓は股間をかくさない全裸の男性像であったという。死後にあっても墓の造形でもこのようにさらに一問着を巻きおこしたのである。

※この小論は、1989年に朝日カルチャーセンター札幌教室で開講していた「ヨーロパの世紀末」をテーマにした講座の内から〈プレ・ラファアエッロ派〉についてのレクチャー内容を採録したもの。ベルギー・オランダ美術紀行とは直接的にはつながっていないが、19世紀末における美術潮流がいかに全欧州的に広がっており、その1つの現象を記録するためにも、ここにのせておくことにした。

［アートコラム3　エミール・ガレの自然主義］

★ガレの幼年期

フランス北東部の古都ナンシーに生まれ、世紀末の美術シーンを背景にしつつ、ガラス工芸の世界で活躍したエミール・ガレ〔Charles Martin Émile Gallé〕の展覧会が、２０００年に北海道立近代美術館で開催された。この展覧会に出品された作品をみつつ、いかにこの工芸家が、自然というものをひたすらに愛し、それを原モティーフにしているかが手に取る様にわかった。

この展覧会は、日本国内に在るガレ・コレクションから円熟期のガラス作品約１１０点を選りすぐって構成展示されている。日本においてこれだけの点数と良質の作品が、所蔵されていること自体が、私にとってひとつの驚きであったが、この事実はそれだけ日本の動植物などを愛したガレの魂に、日本人がいかに共鳴していたかの明白な証左でもあろうか。

私が、強く興味を持ったのはガレにおける幼年期の重要性である。このことを最初にのべておきたい。

水田順子（当時、北海道立近代美術館主任学芸員）の研究によれば、ガレは、幼年期に地元ナンシーの象徴主義の画家であるJ・Jグランヴィルの『生きている花々』により読み書きを学んだという。この図像が会場に数点展示されていた。花々が、人間に寓意化され妖精の物語を読むような幻想的な雰囲気が充溢していた。

Ｊ・Ｊグランヴィルとは、フランス文学者鹿島茂の『愛書狂』によれば、本名をジャン・イニャス・イシドール・ジェラールといい、１８０３年にナンシーで生まれている。グランヴィルというのは、父方の父祖が舞台に立った時の芸名という。

彼の名を一躍有名にさせたのは、１８２８年から１８２９年にかけて刊行された71枚の石版画集「現代版変身物語」であり、これは、オヴィディウスの『変身物語』の現代版の性格を帯びている。これは、当時の社会の世相を動物の顔をした人間により風刺したものであった。

また、グランヴィルは、１８３８年には、フルニエ版の『ラ・フォンテーヌの寓話』を題材にした特異な動物画を発表している。『愛書狂』によれば『生きている花々』は、挿絵本の中では最もポピュラーであり、『フルール・アニメ』とフランス語のままで呼称されている。因みに日本語訳は、『花の幻想』である。

鹿島茂は、原題に即して解釈すれば「生命と動きを与えられた花々の意味」であり、「植物的な生命しかもっていなかった花々が、動物的な動きを与えられ、女性に変身させられたらどうなるのかというテーマに基づき、花々の神話的な語源からそれぞれの花の女性的イメージを紡ぎだしてみせたものである」と指摘する。

女性像を登場させたのには訳があり、１８４２年に死んだ妻を植物という形で蘇生させたかったという内心の動機が潜んでいたらしい。このように、図像は、あざみ、野薔薇、西洋さんざしなどかず多く女性像の変身として描出されている。つまり、厳密にいえば幻想風味の濃い植物画であり、それが子供の想像力を自在に飛翔させたのかもしれない。

またこの書物は、「植物学と植物生理学に関する本格的な概論を備えたものでもあった」（水田順子）とすれば、この本を通して自然と科学的な視点も育成されたことは十分に予測できる。

さらに水田順子氏は、「少年時代の友人ネル・ゼレールの祖父シャルル＝フランソワ・キバルがロレーヌ地方で最も有名な博物学者の一人で、二人に植物採取の手ほどきしたことも、その後のガレの自然への傾倒をうながす大きな要因だったにちがいない」とのべている。

★植物への関心

幼年期の体験などを基盤にしつつ、父のシャルル・ガレの後継者として、ガラス工芸の世界において、制作を開始していった。

カタログの「年譜」からすこし探るだけでも、植物への関心はより深まっていくのが判明する。１８６７年には、はじめて緻密な花と昆虫の装飾をデザインしている。１８７１年には、ロンドンに滞在するが、さかんに植物園に通っている。また、１８７７年には、ナンシー中央園芸協会会報に、植物学に関する発表を行っている。１８８０年には、ナンシーで植物地誌の展覧会を構成している。１８８５年には、フランス植物学協会の会員となっている。植物と並行して園芸への関心も深かったようだ。実際に、彼の１００ある著作の半分は、植物学や園芸に関するものであるという。

こうした中で、ある劇的な出会いがおこる。それは日本の高島北海との出会いである。１８８８年の事である。当時、高島は、日本政府の命を受けて、森林学校の給付留学生としてナンシーにきた。ガレは、高島より日本美術の特質を学びつつ、〈園芸の国〉日本についても特別の関心をいだいていたようだ。

ガレは日本については、「菊の国日本」と特別の感慨をもって呼んでいる。ガレは、日本趣味（ジャポニスム）の狭い枠をこえて、地に足がついた研究をしている。実際に、日本の植物を栽培し、さらに日本の工芸品との対比研究をしている。

ここで留意すべきことは、ガレのジャポニスムのバックグランドには、当時の流行思想である象徴主義への深い洞察が宿っていることだ。ガレは、「自然への愛情はつねに象徴主義に至るものです」とさえのべているほどだ。世紀末の美術世界にとどまらず、文学世界との交流もとても興味ぶかい。

今回の展示ガラス作品の記銘には、多くの文学者の言葉が引用されていた。曰く、「夜の終わりの幻影」（詩人のヴェルレーヌ）、「溝という溝にはアウウキクサが青緑色のカーテンを広げている深青色の葉を繁らせて」（詩人のゴーティエ）など類例にはきりがない。マルセル・プルーストとの交流もあり、音楽作曲家では、ワグナーの耽美的な象徴主義にも共鳴し、バイロイト巡礼も行っているほどだ。

このように同時代の象徴主義の芸術に多大な関心を寄せているのだ。１８９７年には、ガレンヌ通りの工場の正面の扉に、「我が根源は森の奥にあり」と刻んだという。それは見事に彼の芸術の本質を言いあらわしている。全ての美の根源には、自然があるのだ。

私は、ガレの濃厚なさまざまな技法により創造されたガラス工芸の美に酩酊しつつ、なんと豊かに動植物を通して自然の優美さを唄っていることかと感嘆の声をあげたほどだ。機械主義ではない、手による工芸の温かみが、美意識を喪失しがちな現代人の心に汲んでも尽きぬオアシスを提供してくれるのである。

さらに私なりの感慨をのべれば、この場合、「森の奥」とは、単に〈自然の森〉のことにとどまらずに、象徴主義と自然主義に彩られた美学のことではなかったか。それほどまでに、時代の子であったガレの作品は、自然主義を象徴主義によって味付けているのだ。

21世紀の今日、ガレが関心をいだいた美意識にわれわれが共鳴する背景には、いかに自然主義と象徴主義を解釈するかという深い問題が絡んでいるようでもある。なぜなら今とみに自然破壊、環境破壊の事が指摘されているが、自然主義や神秘主義には、バラ色に染まった安易な人間中心主義と一線を劃する耽美主義と反文明主義が根底には色濃く存在することを忘れてはならないからである。

『アール・ヌーヴォーのガラス』展図録(2015)

［アートコラム４　ベルギー王立フィルハーモニーの音］

★カンチェリの「ミケランジェロの想い出」

かなり前のことになるが１９９７年11月から12月にかけての音楽会で、私が特に選んで聞いたものをここで確認しておきたい。11月28日には、東京芸術劇場でベルギー王立管弦楽団の演奏会を聞いた。指揮は、音楽監督を兼ねるイギリスの若手グラント・レウェリン。彼が組んだプログラムは、なかなか盛り沢山の内容をもっていた。その中でも印象深かったのは、グルジア（ジョージア）生まれの現代作曲家ギヤ・カンチェリ〔Giya Kancheli〕の交響曲第４番「ミケランジェロの想い出」（１９７４）であり、イスラエル生まれのヴァイオリストのイヴリー・ギトリス〔Ivry Gitlis〕の演奏によるアルバン・ベルクのヴァイオリン協奏曲だった。

カンチェリの「ミケランジェロの思い出」には、どういう経緯によるかは定かではないが、ソビエト政府の委嘱によりミケランジェロ生誕５００年記念して作曲されたものという。この曲は、日本初演というからそれに立ち会うことができたことはとても幸福であった。まず、この曲の構成が興味ぶかかった。交響曲とはなっているが、１楽章のみ。終始ゆったりとしたラルゴと指示されている。

グルジアは、コーカサス地方に位置する。旧ソ連の崩壊により、独立した日本の5分の1の文字通り小国という。まだ未見の土地グルジアではあるが、私には比類なき映像美を味わわせてくれた、ある２つの映画と深く結びあわさっている。ひとつは、シェンゲラーヤ監督の「ピロスマニ」（１９６９）というとても美しい映像美をみせてくれたグルジア映画である。このピロスマニ〔Pirosmani〕とは、この地で活躍した画家の名でもある。ほとんど台詞のない、寡黙に近いこの映画は、素朴画を描くこの画家の実像を捉えつつ、この土地が、紀元前より民族の交通路、通商の交差点として栄え、いち早くキリスト教を受入れ独自な文化構造を築いたことを教えてくれた。実際に、様々な民族抗争の場となり、この首都ドビシリは何度も何度も破壊されたという。

他方、そうした悲劇的な受苦の場所の記憶と、異文化の衝突地であることを強烈な映像美で教えてくれたのが、トビシリ生まれのアルメニア人であるセルゲイ・パラジャーノフ〔Sargis Hovsepi Parajanyan〕の映画であった。パラジャーノフの映像美は狂おしいまでに希有な結晶美で、私の脳髄を酩酊させてくれた。

この二本の映画は、グルジアは決して遠くの異邦の土地ではなく、種々の文化が混在した芳醇な文化を開花した花園であることを教えてくれた。カンチェリは、１９３５年にトビリシ生まれ。大学では地質学を修めたが、のちに音楽に転向し、クラシックのみならず他方面で活躍しており、ジャズにも興味をしめし、それにとどまらず彼は、映画音楽の分野においても才能を発揮させている。実に、映画音楽の数は、なんと30本を越えるという。日本で公開されたものでは、私は未見ではあるがＳＦ映画「不可思議惑星キンザザ」の音楽は、なかなか異色であり評価は高いという。

さて「ミケランジェロの思い出」は、冒頭から日常の時間から私を完全に分離させ、一気にミケランジェロの時間空間へと誘ってくれた。空気の膜を切り裂くように、張り詰めた打楽器が鐘をうち鳴らし、何度もこの鐘の音が、ある時は、深く重く、そしてある時は、ゆったりとそして悲しい気分にいろいろな表情をもって心に波動を引き起こしてくれた。時に激しく、時に凪となり微小に反復されとても強い意味素となって律動を創出していくのだった。打楽器による鐘の音は、単に意味素や音楽を超えてある種の精神性を帯びているようだ。それは、予想するにイタリア・ルネサンスの巨匠の魂のドラマ、つまりローマ教皇庁との葛藤に明け暮れた彼の内面におこった激震を表象させているのであろう。それとも、人間としても普遍的な内面の葛藤を象徴させているのかもしれない。私は、この嵐の海に漕ぎ出しているような烈しい音の振幅を聞きながら、ふと、ローマのバチカン市国にあるサン・ピエトロ大寺院のうち鳴らす鐘の音をおもわず思いおこしていた。

私の最初のヨーロッパ旅行は、〈永遠の都ローマ〉であり、最初に泊まったホテルの名は、奇しくもヴァチカン近くにあるミケランジェロ・ホテルであった。冬の日、この部屋からは、いつも鐘の音が聞こえてきた。私の身体は、その音の響きにつつまれていった。私は、帰国後もずっとこの響きを身体全体で、あたかも牛が反芻するように懐かしく味わっていた。ただ、この「ミケランジェロの思い出」の音を体験して、ミケランジェロ自身は、この鐘の音は、私が感受したように心地よい至福を与えるものではなかったのかもしれないとおもい知らされた。なぜなら絶対的権力者たる教皇ユリウス2世は、常に難問を課してミケランジェロを隷属させ酷使したからだ。ミケランジェロに、ひっきりなしに苦難と試練の炎が、よけてもよけても降りかかってきた。建築家ブルネレスキとの軋轢、システィーナ礼拝堂の天井画制作の厳命、さらには家族（身内）のトラブルや金銭的問題などが彼に休みなく迫ってきた。つねに苦難がおそってきて、心は安まることはなかった。とするならば、鐘の音は、〈早く仕事を〉〈もっと仕事〉と急き立てるものであり、鎖となって彼を縛り、身を切るような刃物となっていたのかもしれないのだ。ハブロフの条件反射のように、この音は、地獄の使者からの聲にきこえていたかもしれないのだ。カンチェリがつくり出した激した時の鐘の音は、竹を真二つに割るほどの威力をもっていた。それは、作曲家自身の内面の底から噴出した〈怒り〉のようなものだったかも知れない。事実、カンチェリ自身、ソビエト官僚国家の下におかれていて、その前衛的姿勢は、あまりこのましく思われていなかったし、外国への出国は、許容されてはいなかった。ソビエト崩壊後は、祖国は政治の混乱に巻き込まれて、ようやく亡命の形でベルリンへ。そして１９９４年からは、ベルギーの王立フィルハーモニーの招待作曲家としてアントワープに住むことになったという。寛容と人種差別の少ない国際的都市アントワープにあるこのオーケストラには、東欧出身のメンバーがとてもおおいという。

ひるがえってみれば、この鐘の音と曲想の激しさは、ソビエト体制下の政治的、思想的弾圧に対する作曲家自身の内面世界が大きな動機となっているのかも知れないのだ。私にはそう強く感じられた。これから買ってみようと考えているのは、この曲の、ヤンズーク・カヒーゼ指揮のグルジア国立交響楽団の演奏である。

さてイブリー・ギトリスは、イスラエルのヴァイオリニストである。ある人は〈魔弓〉のように弾くともいう。〈イヴリー〉とはヘブライ語では〈ヘブライ〉そのものを指すという。ギトリスは大変な親日家としても知られている。２０１１年３月の東日本大震災の時には強く心を痛めてメッセージを送っている。さらに来日して石巻市を慰問して演奏会開催した。この時、私はこの演奏家の個性的音に感動して東京芸術劇場の楽屋裏まで訪ねて、たしかＣＤを買ってそこにサインをいただいた記憶がある。ギトリスは残念ながら２０２０年に98歳で亡くなった。ギトリスの〈ある天使の思い出〉には、アルバン・ベルクらしい叙情的な色彩の濃い作品である。とても美しい音を、老熟したひげ面のギトリスが、黒い服に身をつつみ、とてもリラックスして弦をひびかせていた。この曲は、ギトリス自身にとっても、とても思い出ぶかいものという。ではこのコンチェルトはなぜ〈ある天使の思い出に〉となっているのであろうか。アルマ・マーラーがグスタフ・マーラーとの関係が冷えてゆく中でグロピウスと出会い求婚される。〈ある天使〉とは、マーラーの死後に建築家ヴァルター・グロピウスとのあいだにもうけた娘マノン・グロピウスのこと。18歳での死だった。それを偲ぶために作曲された。この曲の成立背景には、美貌のアルマをサークルの中心にして、さまざまな芸術家が輪舞を踊った19世紀末のウイーンの芸術シーンがたちこめている。またこの曲はベルク自身の遺作的作品である。

ベルギー王立管弦楽団演奏会パンフレット(東京芸術劇場)

［アートコラム5　ベルギー象徴派］

★現代と象徴主義・神秘主義

いま20世紀の終わりにたっている。今、19世紀末芸術をたどっている訳であるが、さまざまな価値観が古いものから新しいものへの転換期にもなっている。

今回のテーマである象徴主義は、極めて濃密な文学的傾向を示している。この運動は、さらに広汎な影響を与えており、当時のヨーロッパ人の精神のある１つの傾向を示しているようだ。

19世紀の〈サンボリスム〉（象徴主義）は、当時の市民的な価値観のアンチテーゼとして、誕生してきた。人々がみずから失ったものを、過去にもどって、つまり失われた過去、文学者プルーストの作品をもじっていえば、〈失われた時をもとめて〉の旅でもあったのである。

それは大きな視野で概観してみれば、まさに〈科学と宗教〉の関係にも深くつらなっている。

イギリスでは、産業革命の進行にともなって、高度な進歩に逆行するように降霊術などの神秘主義に関心が高まっていった。現代においても科学の英知を動員させて、地球の外の宇宙に飛んでいったＮＡＳＡの宇宙飛行士が、熱心な宗教家になっていったという事実をどう解釈すべきであろうか。そこには、人間存在自体の深い問題が横たわっているのではないだろうか。ジム・アーウィン（アポロ15号）は、宇宙の壮大なドラマをみて、〈神の臨在〉を実感したし、エドガー・ミッチェル（アポロ14号）は、超能力研究家になったという。目を転じてみることにする。この時代の怪奇ホラーのブームも異様である。スティーブンソンの『ジキルとハイド氏』は、１８８６年にだされ、またブラム・ストーカーの『吸血鬼ドラキュラ』は１８９７年にうまれている。そこには機械文明の進歩の恩恵をうけつつ、その反面人々は内心の不安を抱き、これらの文学を積極的に受け入れていったことが反映している。

また現代が、コンピューター時代の先端において、超能力ブームと神秘的宗教体験がもてはやされる現象の背後には、深いところで人々は未来に不安をいだいていることを示しているにちがいない。

★アンソール・神秘主義と薔薇十字会

さて、ベルギーの象徴主義を語るうえで、まずジェームズ・アンソールから始めよう。あの〈仮面の画家〉アンソールだ。北海の海に望むオーステンドという海浜に生まれ、両親は観光土産用の土産物や骨董品などを売っており、その店の屋根裏には、この地方で盛大に行われるカーニバルの仮面や不気味な品々がならべられていた。それらは彼の心にさまざまな恐怖心や夢を植えつけていったという。

彼の描いた仮面は、偽善的な社会への批評性がこめられている。けばけばしくグロテスクな骸骨は、中世以来からつづく〈死を思え〉のテーマであるが、それらを引用しつつ現代人の意識に通じる全くあたらしい絵画を作りだしたのである。

アンソールの先見的な仕事が再評価されている。絵具の使い方が、フォーヴィスムを予兆し、さらには、表現主義の到来を予告しているという。さらに幻想豊かな作風は、シュルレアリスムにも通じるのである。

ベルギーはもともと伝統あるフランドルの地にあり、中世以来、絵画や彫刻において〈死の問題〉などについて独自の展開をみせた場所である。

このさて、この辺でどうしても「薔薇十字会」について触れておかねばならないだろう。『Les Salon de Rose Croix』(バラと十字架のサロン)の言葉があらわすように〈バラ〉と〈十字架のサロン〉は、神秘主義のグループ名であり、さらに彼等がめざす思想そのものを示現している。サール(ペルシヤ秘教に通じた師の意味)と称したジュセフィン・ペラダンは、オカルティストのスタンスラス・ド・ゲータと共にこの会を始めた。

このペラダンは美術史上においても重要な展覧会を企画している。彼は、リアリスムを排し、また戦争画や風景画を拒絶し、より神話や伝説に題材をもとめた。1892年より1897年より6回にわたるサロンを開催し、19世紀全般にわたって、仮面、瞑想、髪の毛、スフィンクス、サロメなどのテーマを登場させた。そしてそれらをさまざまに統合し、それをカードのように配りながら〈象徴の森〉を作りだしていった。美術史家マリオ・プラーツは19世紀文化を貫く特徴として、他のいかなる時代にも〈性〉をこれほど明らかに描いた時代はないとのべる。妖美な美、女性のもつ神秘性などは、文字通りまったく〈新しいテーマ〉であり、この女性の妖美さは、グスタフ・クリムトのめくるめくような華麗な世紀末の世界にまでつらぬかれるのである。

★ローゼンバックとクノップフ

さてベルギーの〈サンボリスム〉をかたるうえで、ローゼンバックを忘れる訳にはいかないだろう。彼の書物『死都ブリュージュ』は、19世紀末の世界を語る上で重要な小説である。主人公ユーグ・ヴィアヌは美しい妻に先立たれ、その死の翌日ブリュージュにきて、この街が亡き妻のイマージュと合体してゆくという不思議な体験をする。運河のよどんだ水辺にオフェーリアのような彼女の顔が浮かび、鐘の音に彼女のか細い歌の調べを感じるのである。

そして主人公は「ノートルダム教会」をでたあと、妻と瓜二つの女性に出会うことになる。しかしこの女性、〈魔性の女〉であった。ジャンヌ・スコットにもてあそばれ破滅の路を歩んでいくのであった。聖血〈サン・サン〉の行進の日、主人公の家にまねかれ、ジャンヌは彼の亡き妻のパステル画や写真をみて嘲笑した。ユーグはその冒涜的行為に狂乱し、彼女を手にかけて殺してしまうのであった。

灰色と憂愁の街ブリュージュは、このように特異な表情をもってこの芸術家の魂をとりこにしたのであった。

ここでローゼンバックを登場させたのも実は、彼の友人フェルナン・クノップフを語らんがためである。フェルナン・クノップフは、象徴的絵画である『ジョルジョ・ローゼンバックとともに―教会』などを制作している。

クノップフは、ベルギーの象徴主義を展望してみるとき、とても要《かなめ》となる人物である。この画家は、

1883年に創設された〔20人会〕創設のメンバーであり、またジョセファン・ペラダンの教説につよく影響をうけ、ペラダンの主宰する〔バラ十字展〕にも出品を依頼されている。神秘主義者との交流により、次第に彼の内面世界は深まりをみせるのであった。当時にクノップフは、ベルギーの象徴主義と他国のムーブメントを結ぶ役割をになうのである。

イギリスで花開いたプレ・ラファエロ派と接触し、さらにウイーンの分離派のグループとも交友した。1898年には、ウイーンに滞在し、第一回分離派展で21点もの作品を出品しているほどである。またこの分離派の雑誌「ヴェール・サクルム」(聖なる春)の最終号の装丁をしているほどである。

とくに分離派とのつきあいで、クリムト絵画に大きな影響を与えていることは、とても重要である。今は現存していないクノップフの家は、青、金、白を基調としており一種の「神殿」となっていたという。この青、金、白という配色はなんと凄いことか。現存していたら、まちがいなくひときわ目立つ19世紀末の代表的建築となっていたであろう。

また、彼の好んだテーマである〈孤独〉〈スフィンクス〉〈シメール〉〈見捨てられた街〉などは、とても文学性が濃いテーマであるが、それらを美しい形象へと高めている。あくまで耽美的な女たちを描き、〈私は私自身に扉をとざす〉の彼の言葉どおり、クノップフが仕掛けた不可解な謎をひめた神秘的テーマに私達は麻酔をかけられたように酔わされるのである。

その他のメンバーの名前をしるしておこう。ウイリアム・ドゥグーヴ・ヌンク、ジャン・デルヴィル、フェリシアン・ロップス、グザヴィエ・メルリ、アントワーヌ・ヴィールツ。彼等の絵画世界は、北欧的自然を背景におきつつ、〈神秘と幻想〉〈象徴と死〉の問題とラジカルに絡みつつ、今でも天上世界へと私達を誘う不思議な霊力を発しているのだ。

★トーロップ

トーロップはオランダを代表する〈サンボリスム〉の運動のにない手である。

彼の作品が日本に紹介されたのが、１９８８年の「トーロップ展」（東京都庭園美術館）である。日本の代表的アール・デコの館ともいえる「旧朝香宮邸」でトーロップの世界を展示した。この展覧会により初めてこの作家の全貌が明らかになった。数点にまとめてこの画家の特徴をたどってみよう。

1．ジャワ島生まれで14歳にオランダに住む。

2．１８８３年より2年間ブリュッセルへ。新しい運動「20人会」と関わり、１８８５年より会のメンバーとなる。アンソールから強く感銘受ける。

3．１８８６年より初めて点描画を手がける。

4．１８９０年よりサンボリスム、修飾的線を強調。神秘主義者サール・ベラダン、詩人ヴェルレーヌらと交流する。

この画家は、後半カトリックに転向し、カトリック的色彩の濃い作品をつくった。アール・ヌーヴォー的線がそこには、いきいきとしていた。また彼の絵画空間には東洋と世紀末の美が混在化し、特異な流動感あふれる世界を創造した。どこか幽霊のような足のない天使は、日本的な美意識の反映があるようにもみえる。なによりいいしれぬ神秘な世界へみる者の意識に麻酔をかけいざなうのであった。

トーロップ以外にも同時代の画家がいるにはいるが、この作家が特に異彩を放つのは、東洋と西洋との出会いがユニークな形であらわれていることだろう。その線のグラフィックな美しさは特質すべきものがあるのだ。一時は点描の作風で果敢に新しい絵画の実験をしていたが、それにとどまらず種々の手法にもとり組んだ。さまざまな手法や試みのあと、精神の安定を求めて宗教世界で永続的に自己を保とうとした。しかしながらかえって絵画世界が生気と霊気を失い平凡なものになっていったのはなんと皮肉なことではないか。正統なカトリシズムは、危険な香りを放つこと無く、かれの美的世界を規模の小さいものにしてしまったのである。

※この小論は、1989年に札幌朝日カルチャーセンターで開講した「ヨーロッパ世紀末」の内、〈ベルギーの象徴派〉に関する講義内容をまとめたものである。

II. オランダ美術紀行

クレラー＝ミュラー美術館＊

1　アムステルダム〔AMSTERDAM〕という街

★ダム広場〔Dam〕

アムステルダムの印象をすこしのべておくことにする。まず、ホテルの周辺から紹介してみよう。ダム広場であるが、このダムという名から分かるように、むかしここにも堤防があった。修理中の戦没者慰霊の塔があるが、どうもそれが工事中の現場となり風情を壊しておりあまりよくない。本来は天を指して慰霊のオベリスクが建っているはずであった。

そんな中でこの広場で一番威厳を保っているのは、王宮〔Koninkljik Paleis〕である。

この王宮は、１６４８年に宗教戦争が終結したとき、J・ファン・カイペルス（カンペン）が設計した。古典様式の建物であり、砂岩を用いてつくられた。公式行事があるときには、現在も使用している。上を見上げると、浮き彫りで飾られた破風とカリヨンが眼に入ってくる。このカリヨンは、15分毎に時刻を告げてくれて、私達が泊まったこの広場に面して立つクラスナポルスキー・ホテルでも何度もこの音をきいた。

この王宮の内部は、今回は見学の予定はないが、床は総大理石であり、「ブルヘルザール」には、壮大な世界地図が描かれているという。その隣には、「マダム・タッソー蝋人形館」〔Madame Tussaud Scenerama〕。下には、ピーク・アンド・クロッペング・デパートの看板がみえる。世界的な有名人の蝋人形をおいていることで有名なこの館は、ロンドンの姉妹館となっている。外からみると、ひときわ眼を引き付けるのは、やはりこの地を代表する超有名人のレンブラントの像。中には歴史的な像の他にも、アムステルダムの歴史や21世紀の未来像が映像化されている。

ここには、歴史的な建物がおおいが、ひときは天を射しているのは、「ニウェ・ケルク」〔Nieuwe kerk・新教会〕。14世紀末には、人口が増加して、「旧教会」〔Oude Kerk〕では狭くなり建立されたが、大火にもあい焼失し、さらに「市政の改革」により聖画像が撤去されるなど、幾多の試練をうけたという。すこし、歩いていくと「飾り窓」地区がある。

オランダには、世界でも珍しいものというか、理解に苦しむもの、不思議なものが沢山あるが、この〈公娼制度〉もそのひとつ。調べてみると、その歴史は、15世紀の後半にまで遡るという。長旅に疲れた海の男達（水夫）が、この地区に集まり、それがコントロールできなくなり公認制度をとったという。この制度を制限し、閉鎖するのではなく、むしろ公認することで問題を解決するという思考方法は、なかなか現代の日本人には理解できないかも知れない。

特に、プロテスタント国家が、こうしたシステムを公的に実施すること事態が、私には奇異に感じるのだが。これも海外に進出して、世界に拡大していったエネルギーがその背景にあり、他方何事においても寛容であるというオランダ特有の倫理が影響しているのかもしれない。

世界で初めてのものを辿ると、総合商社のはしりもここである。１６０２年に創設したオランダ東インド会社の設立も忘れることはできない。海へ、海へと貿易（交易）の道を拡大し、このプロテスタント国家は、空への道への進出も世界にさきかけている。航空会社を設立し、いち早く世界の空へ飛び立ったのもオランダという。

1997年秋には、千歳に就航することが決定したKLM航空(現在は就航していない)。世界へと橋を架ける進取の精神が、今度は、北海道とオランダを結びつける。貿易国家の存在は、当然にも、国境をこえての経済の自由と法の関係を理論化した「国際法の父」フーゴー・グローティウス〔Hugo de Groot〕の存在を語らない訳にはいかない。

進取の精神は、果敢に他国人をむかいいれることになる。実際に、ベルギーからこの国に入ると、どのオランダの都市も例外なく、無国籍都市となっていることに驚かされる。髪や皮膚の色、言葉の差異、目の色の違いなど。すべてをのみこみ、全てを許容し、消化してしまうのだ。日本人のような、どちらかといえば閉鎖的な、そして島国根性に侵食された均質好みの意識では、なかなか理解することは難しいことだ。不思議な混沌。無秩序のなかの秩序。それが、ここには存在する。

これもまた、広く世界に窓をひろげて、外からさまざまなものを導入して、共存させてきた長い歴史があってこそ、出来上がってきたものであろうか。

この国の税制度には、日本人の感覚では、到底理解しかねるものがある。所得の50%が、国家財政のなかに組み込まれていくからだ。もしも、日本で50%の税制度を敷いたら革命までとはいわないが、ひょっとして政府が倒れるのではないかとおもった。しかし、ここでは平然とそれが施行されている。

在住20年をすぎたガイドの宮崎さんは、ただ、道路網の整備と便利さ(一切、高速料金などというものはない)、教育・福祉政策の充実、住宅や老後のことを考えると、この制度は決して生活者にとって悪いものではないと実感をもって語っていた。

たしかに、道路の整備や各地への高速道路網の整備には、ただただ驚くばかりである。中心部をむすぶＲＩＮＧとよばれる環状線は、とても整備されている。雨天時においてもスリップしないように、つまり雨水を撥ね対抗車が見えなくなることが無いように特殊な工法が施されている。実際に移動の中で雨が降り、それを体験してびっくりした。またトラムなどの低料金の乗り物、土地や物価の安さなどを総合的に計算すると、この国での生活は、案外快適なのかもしれない。

帰国後、ある雑誌をみていたら、映画人のインタビュー記事が記載されていた。

１９９６年にアカデミー賞外国映画賞を受賞したオランダの映画、「アントニア」で主役を演じたヴィルケ＝ファン＝アメローイ〔willeke van Ammelrooy〕は、「オランダの良さは、一人一人の自由を尊重して、チャレンジすることに援助してくれることにあるわ。映画の世界でも、いい脚本には、政府から援助金が出るのよ」「あとは福祉の徹底。私たちの国には、ホームレスは一人もいないし、老人介護のシステムも万全」「誰でも、人間らしく生活が送れるように、配慮されていることが誇りです」「所得の半分以上税金でもって行かれるけれど」とのべていた。

彼女の言葉は、決してオーバーではない。その事が、この地ではしっかりと実施されているのだ。そういえばこの「アントニア」を、今はなき東映劇場(札幌)の地階でみたことを思い出した。

バスからみた野外広告で、ビックリしたのは、ロンドンまで、「飛行機運賃99ギルダーの表示であった。なんと、この時の日本円とのレートでは、1ギルダーは、57円だったので、それで計算すると1万円程度となる。これで往復料金。ロンドンは近く、そして安いのだ。宮崎さんは、土地代は日本で別荘地を高い金で購入するより、ずっと安いし生活しやすいと力説していた。たしかにスキポール空港は、市内から30分程度の近さ。アムステルダムの郊外に土地を求め、小さな別荘を建てて日本から避暑にくるつもりで「ちょっとアムスまで」というもの悪くはないのかも知れない。

この街は、現代的な言い方をすれば、街中〈ウォーターフロント〉ということになる。全てが運河にはじまり、運河でおわる。毛細血管のごとくはりめぐらせた運河。それは水辺空間や、いくつもの「跳ね橋」のある風景をつくり出している。街全体が特有の馬蹄形の図をみせている。

この街の歴史をたどってみることにする。1200年に漁民達が洪水を逃れるため、土をもり上げそこに住むようになる。アムステル領主がここを支配するようになった。この村の名が公文書に登場するのは、1275年のこと。デン・ハーグ〔Den Haag〕を中心とするホラント伯フローリス5世が、この住民に通行税を支払うことなく領地内を通って水上交易に従事することを許可したのであった。

中世時代には、低地諸国はブルゴーニュ公の支配圏にはいる。さらに、ブルゴーニュ公フィリップとイザベルとの結婚により、ハプスブルク家支配するところとなった。その結果、血なまぐさい宗教戦争がおこり、激しい修羅場となっていった。

特にフィリップ2世のプロテスタント弾圧政策にたいする抵抗は80年もつづいた。この地を宗教的、政治的、経済的独立に導いたのは、オラニェ公ウィレム〔Willem I〕であった。革新的プロテスタント国家の誕生である。オランダは独立を達成したあと、いわゆる〈17世紀黄金時代〉を呈することになる。そうした変動する歴史を一番見つめつづけてきたのは、建築やこの運河達であろうか。

人々は、つねにこの運河を生活の場として愛し、外界と接してきた。低地、つまり水面より低いという不安定性（マイナス性）を逆手にとり、彼らは果敢に外との交易にのり出していった。神を愛し信仰にみたされつつ、自由のために休むことなく経済活動は継続された。

運河周辺には、船生活者がたくさんいる。それがまたこの街の特有の雰囲気と風景をつくりだしている。それは、いわば陸上の家とはちがうもう一つの川に浮かぶ家（別邸）である。税を支払い居住許可書をとり、船に家具をいれ、庭をつくり邸宅とすることも可能という。近寄って確認するとプレートのような登録書がかかげられ、たしかに表札もつけられていた。当然、郵便の配達もされている。デン・ハーグでは、船に傘をさして、日光浴をしている風景もみた。上等な木を使って建造された高価なものもある。水の上に浮遊する家。これもオランダのひとつの風物になっている。

★フェルメールへの想い

アムステルダムを散策する前に、はじめにフェルメール絵画との出会いからうけたことを記しておきたい。

永遠という時間という言葉が、ヨハネス・フェルメール〔Johannes Vermeer〕の作品を形容するためにあるといっていい程の美しさが、絵の中から静かに発せられている。永遠という名の時間。それを普段着のままで、視覚的に、それも至福の情感にひたりつつ味わうことができる。彼の作品はそうした希有の機能を、いやそれは、むしろ霊的な洗礼というべきかも知れない。そうした神性なる美を発光させているのだ。

彼の作品の前に立つこと、それは、なによりも美というものを眼で知覚し、身体の奥で共振することだ。時間という概念も、人間の存在についての意識も、いまどこにいるのかといったような感覚などすべて無意味におもえてくるから不思議だ。

実際に、私という存在も、いまアムステルダムの美術館という空間にいることのみならず、周りの人たちの視線や人種、国籍、領土をこえて、あらゆるわずらわしい事柄や事実が、ほとんど実体のないものにみえてくる。そうした現実的時間が喪失し、心身が浮上することを時間の停止というのではないだろうか。そうした瞬間にこそ、これまでみえてこなかった永遠という名の時間《とき》の襞が見え隠れすることになる。

なぜ、ではフェルメールの作品は、かくも絶対的な時間を生きているのであろうか。

そのことを私は考えてみた。私は、アムステルダムのダム広場にあるキャフェで、感傷的にフェルメールの絵画から受けた火照りを冷ますために今こうして文をしたためている。戦没者記念の壊れかけた塔のあたりまで、むかし水が迫り堤防が築かれていたという。なんということか、時間というものは恐ろしいものだ。そんな昔のことは、微塵も感じさせてくれない。時の流れは早く、都市の現代化の名の下に、都市自身もみずからの記憶装置を喪失させてゆくことになるのだ。代わって色あざやかな電車の車体や王立の宮殿もマダム・タッソーの館が、いかにもこの都市の歴史と繁栄の記号となっている。それらが無国籍の喧騒さと合奏し、永遠という時間をよりみえなくさせている。

こうした現代という時代の癌細胞の一つといえる〈喧騒なる時〉は、ゆっくりと創造する時間をみえなくさせていないか。われわれ現代人は、みずからの時間を無為に消費していながら、それに気付かない〈愚かな猿〉となってしまっていないか。

それどころか時間を食いものにしている怪物に、愛撫をもとめて積極的に寄りそっているのではないか。奪われてしまった時間の死骸《なきがら》が、累々と路上に横たわっているのにも気付いていないふりをしている。そうだ、いま覚醒させるべきなのは、〈コギト〉する自我ではないのか。なによりかけがえのない自由主体の自我に目覚めることではないか。

つまりフェルメールの作品と出会うこと、それは、そうした失われつつある自我にめざめ、時間の持つ意味を深く感じつつ、美の永遠性に触れつつ、それらを通してみずからが生きている時間の意味を吟味することでもある。フェルメールが生きた時代から、数世紀がたち、なんという多くの時間が過ぎ去ったことであろうか。ただ不思議なことに、フェルメールの絵画の中の時間は、そんなに時間が通り過ぎたという気がしないのだ。

絵の中の時間。そこにはフェルメールが生活していたその時代のデルフト〔Delft〕風景が〈真空冷凍〉したように生きづいている。

つまり今も熱い息を発しているのだ。塔も運河も、不滅の襞をみせている。空も、河も、そして壁などすべては、不変の響きを交わしている。デルフトでみてきた、そのひとつひとつの映像が、瞼に蘇生してはっきりとした姿をみせはじめてくるのだが、それがピッタリと絵の中の映像と符号していくから不思議だ。そして、私の内部では、それらは「旧教会」〔Oude Kerk〕の冷たい床に刻まれたフェルメールの小さき文字と結びあわされていく。その文字のなんと謙虚なことであろうか。

フェルメールのことを思うと、そんな謙虚さに心うたれる。多くの子供をかかえ世俗的な名誉とは無縁であったその男は、まちがいなくデルフトの一隅に生き、少なきタブローを残してみずからの人生に終止符を打った。だから、フェルメールの作品と出会いたかったら、ひとり無心の徒となり、デルフトの街をなにも考えずに歩けばいいのだ。そして、その街の中から、意識しないで、スルリと彼の絵の中に入っていけばいいのだ。往来自在の空間。それが、フェルメールの時空である。

ところで、この画家の先駆性とはなんであろうか。

いうまでもなく、フランドル絵画にみられる「室内画」の伝統を昇華して、王侯でもなく教会のためでもなく、つまり特権階級のためではなく自分と同一レベルの人たちの家を飾るための作品をみずからの筆のおもむくままに作り出したのだ。だれにも従属してない絵画。自由なる絵画。みずからのためのアートワーク。それが、彼の絵画世界なのだ。

たとえば、「Het melkmeisje」という作品がある。日本語のタイトルは「牛乳を注ぐ女」という。どこにでもある日常の一瞬をとらえている。そこに1人の婦人が牛乳を注いでいる。私はこう夢想する。今も美術館のあの壁に架かったキャンヴァスの内的空間で、赤茶けたボールに白い牛乳をそそぎつづけているにちがいないと。

現代の時間を生きるオランダの婦人もまた、きっとまちがいなく、デルフトのどこかの家の窓辺で、同じ所作をしているにちがいない。ミルクを注ぐというたわいもない、毎日、あたりまえにつづけられている所作。無意識の内におこなわれる庶民的な所作に、永遠の衣をきせる画家の眼は、なんと絵画だけがもつ高貴なる透徹さを帯びていることか。

〈窓辺と室内〉、それは17世紀の新興ブルジュアや無名の市民階級達の生活空間であった。ひとえに、日常性のシンボルであった。いやシンボルといういい方は不適だ。ただただ普通にある家の日常の断片が切り取られているのだろう。王侯達が豪華な装飾にみちあふれた室内に立ち、ポーズをとってみずからの肖像画を描かせたきらびやかな空間とは異なり、ささやかな家具や壁紙やカーテンがひっそりとおかれた場である。

見方をかえてみてみたい。フェルメールという画家の内的風景とはどんなものであったかと。

子供をたくさんかかえ、決して豊かな生活ではなかった。だがフェルメールは、自分の内面に忠実だった。そして自分を縛るもの、その全てからときはなされていた。そこに私は画家の意識を強くうけとった。内面は自由でありつつも、不安の感情がうごめくこともあったはずだ。自由とは、何を描いていいか不安に陥ることでもあった。はたして平凡な日常やありきたりの室内風景がうけ入れられるであろうか。そんな不安もあった。いつの時代でも革新的な仕事をする者は、こうした不安をいだきつつ、新しい自由を獲得していったのだ。

だが、そうした革新は、一朝の内に実現できたわけでもない。そこには、〈室内〉が市民達の憩いと楽しみと生活空間であるというフランドル絵画の気風も多大な影響を与えていることに気付くべきである。

フェルメールの作品の中に、たしかにブルジュア家庭の室内を描きながら、そこに寓意や神話の主題を介在させた風俗的作品もあるが、それでも見るものの心に浸透してくる清冽な美を放っているのには改めて驚かされる。

市井の人たち、つまりさしたる名誉も地位もないが、神より与えられた一日、一日を懸命に生きる庶民の生活であるというのは、とても意味ぶかいといえる。それは、ただひたすら少しばかりの希望をいだきつつ一日一日を大切にして生きている民衆がいる。生きるもの達が、いかに美しい存在であるかを物語っているからである。寓意性の濃い作品もあるが、全体としてみればある種の謙遜の美学が、ここには存在しているのだと私は思いたい。

★レンブラント〔Rembrandt Harmenszoon van Rijn〕の家

ホテルを9時にでて、市内の運河風景をみつつ、「涙の塔」〔Schreierstoren〕を通過した。

この「涙の塔」には、海洋国家らしいこの国の歴史が象徴されている。この塔は女達が、海洋へ出ていく男達を旅の安全を祈りつつ涙をながして、別れを惜しんだため、その名がつけられたという。

この日は少々、靄がかかった感じである。私達が乗った小型バスは、「ムントの塔」〔Munttoren〕が、みえる運河の岸辺についた。この塔は、むかし貨幣の鋳造所であり、この名がついたという。

この岸辺一帯には、花市場が常設している。いましも、店先を飾るため準備におおわらわという感じである。特に目立つのは、やはりオランダ名物のチューリップ。6月の季節ではなかったので、色あざやかな花はないが、かわって赤、黄色、黒などの木製のチューリップや球根や切り株が並んでいる。意外だったのは、たしかにブームになっていると、話にはきいていたが、実際に日本の菊や盆栽が、このように店先に並べられていたのには、とても驚いた。植物や花もまさしく、ここではなんでもありの無国籍状態である。

あたりを見渡すと、向かいには、ケンタッキー・フライドチキンの店。でもよくみると、どこにもあるあのアメリカンタイプのよそおいをした店ではなかった。古い風格のある家がその店になっていた。木肌が、艶を発し美しくとても優雅な顔をみせている。ファーストフードの店になるとは、なにかもったいない感じがした。

真っすぐに「レンブラントの家」〔Rembrandthuis〕を尋ねる予定であったが、現地の旅行会社が勝手にアレンジしたらしく、予定外の「GASSAN」という宝石研磨工場見学が組み込まれていた。

アムステルダムは〈世界のダイヤ工場〉とよばれるように、幾多の研磨工場がここにはある。中に入ると、東洋系の見学者用に、事務所も特別に設けられ、日本人スタッフが待っていた。錬磨過程の一端、特にカッティングの工法をみたが、気の遠くなるような微細な職人芸であることがわかる。また別室でダイヤのサイズ、色、カッティング、さらには不純物の混在度合いにより、総合的なプライスが決定される仕組みを学習させられた。日本から購入をめざして特別にここを訪れる人もいるという。高級なダイヤの光には、縁のない私には、まさしく30分ほどのやや強制的な学習の場であった。

この一帯は、昔からユダヤ人街があり、その一角にある「レンブラント・ファン・レインの家」に入った。

この画家はこの地に住んでいた頃は、経済的にも富裕の頃であった。彼は、通称「夜警」〔De Nachtwacht〕と呼ばれる大作を制作した後は、絵画注文も激減して、この家も手放さねばならない状態となり、他の所に移り住むことになる。このあとバスから彼が最後に住んだ家をみたが、その一帯は現在、やたら派手な落書きがされた場末な感じになっていた。

画家ルーベンスの住まい（アトリエ）と比較すると、彼の家は狭くそして小さく全く華麗さはなかった。寝室などは、開放されてなく、全体として銅版画ギャラリーという感じとなっていた。

ここには、プレス機も設置され銅版画制作の行程を、説明する部屋があり、彼の銅版画がおおく展示してあった。作品の傾向としては、聖書を主題にしたものがおおかったが、それらの作品からは、版画においても卓越した技量と表現力を堪能することができた。

〈魂の画家〉や〈光と影の画家〉とよばれるが、実に線の美しい画家であったことが理解できた。風景の描写も、この地の空気を捉えているし、人間の観察力、洞察力も版画という媒体を生かしながら表現している。

特に、父と母をデッサンしたものや、彼らをモデルにした聖書を主題にしたものなどは、単に克明な肖像にとどまらず内面の深さをかいまみせてくれる。肖像では、同時代の芸術家や仲間の肖像を描いている作品が、とても新鮮にみえた。妻サスキアの従兄弟にあたる改革派教会の牧師であり、彼らの結婚の司式をした男性の顔もあった。

★ポルトガルのシナゴーグ

その後、この地区がユダヤ人街であることを思い出し、モーゼとアロン教会の横を通り、向かいにあるユダヤ人の会堂シナゴーグ〔オランダ語 synagoge〕を目指した。

この地区のシナゴーグは、ポルトガルから移住してきたユダヤ人のための会堂である。昔から多国籍都市であったこの都市は、多様な信仰者を受容した場所でもあった。

後で調べてみて、〈そうだったのか〉と、はっと気付かされたのは、イギリス国教会の弾圧からのがれ、信仰の自由を希求して新大陸たるアメリカを目指したイギリスのピューリタン（清教徒）一行が、一時、イギリスより亡命して滞在したのも、この地であった。いやむしろ、この地で未知の新大陸への移住の英断が育まれたといっても過言ではないようだ。

17世紀に入り、ユダヤ人が中央や東ヨーロッパからおおく移住してくる。信仰と政治的自由をこの地で享受することになる。

彼らはすぐに、ユダヤ人の共同体を結成する。第一の共同体として１６１０年（一説には、１６０２）に〈ベス・ヤコブ〉が作られた。第二の〈ネブ・シャロン〉は、１６０８年から１６１２年の間に、スペインのユダヤ人によって。第三の、〈ベス・イスラエル〉は１６１８年に結成された。１６３９年には、それらが総合され共同するようになったという。

ポルトガルやスペイン、さらに南欧での迫害を受けてオランダに移住した人々を〈セファルディム〉という。

この〈セファルディム〉の人物には、哲学者スピノザや指揮者オットー・クレンペラー、画家カミーユ・ピサロらがいる。

ポルトガルのユダヤ人は、オランダ国家に定住後には、文化的や経済的な発展におおいに貢献している。この共同体は、ラビ（僧侶）、学者、哲学者、国際的な金融社会において重要な銀行家や設立者を輩出していくことになる。

しばらくの間、安住の地であったが、1940年には、状況は一変する。ドイツのナチ政権が、オランダに侵攻することで、迫害の歴史が開始された。当時、この国には、約14万人のユダヤ人がいたが、その内の12万人がアムステルダムに住んでいたという。その内の4300人は、スペイン・ポルトガル系ユダヤ人であった。幸いにもこのシナゴーグは破壊をまぬがれたが、戦後には、わずか2万人のユダヤ人しか残されていなかった。その内の800人がスペイン・ポルトガル系のユダヤ人であった。

現在は、2万から2万5千人のユダヤ人がオランダに住んでおり、アムステルダムには、その内の1万5千人から2万人が住んでいると聞く。

さてこの会堂の入口は、なかなか分りづらかった。ドアの前に表示があり、ベルを押すと中で音がするが全く開かない。間違っているのかと、立ち去ろうとすると、ドアが開いてくれた。

中に入ってみて、ようやく分かったが、安全性確保のためにカメラで監視しつつ、ドアを厳しく管理して開閉をしているのが分かった。歴史に翻弄されつつ迫害されてきたユダヤ人。現代においても、それは止むことはなく、パレスチナとユダヤ人の深刻な民族対立となっている。身の安全は、なによりも優先させるべきこの民族の生き方がこうしたことにおいても、今も智慧となって継承されているのだろう。改めて、ここはユダヤ人の会堂であることを思いしらされた。

１９９６年度の夏の旅行でも、チェコのプラハのシナゴーグを見学したが、ヨーロッパの都市には、必ずといっていいほど、ユダヤ人の暗い歴史が地下水のように漂っていると感じた。

チケットを払って中にはいった。これまでみてきたキリスト教会の〈聖なる空間〉とは、大きく異質である。無装飾、無偶像主義が完全に貫かれていた。そのものである。ひたすらヤハウェ（神）との契約の言葉を大切にし、祈る形式が大切にされている空間だ。プラハのそれと比較すると、列柱の壮大さなどから、経済的実力を背景にして建立されたことが理解できた。天井も木ばりで高い。ローソク立てがアクセントとなって設置されていた。

ひとつ不思議なことを知った。床には、砂がしかれていたことだ。これはどういうことであろうか。砂漠の宗教のなごりであろうか？パレスチナの時空を想起させる仕組みであろうか？そんなことを勝手に想いめぐらしていた。後で調べていたら、それは古いオランダ式のスタイル（やり方）であると書いてあった。それは、靴の埃や水分、さらに泥をとったり、ノイズを消すために上質の砂をまいたようだ。

この時、アメリカのニューヨークから来たという夫婦と出会った。

男性は、頭にキッパー（丸帽子）を被っているので、一目でユダヤ人であると分かった。日本の札幌から来たというと、急に顔がほころんできた。１９７２年に開催された札幌オリンピックの話題となった。私が、メダリストとなったジャネット・リン（スケート選手）のことをのべると、一瞬に表情がゆるみ、互いに旧知の仲となった。

外の会堂の上にかかげられたヘブライ文字が、どういう意味があるかときくと、二人はしばらく思案し、それが、『旧約聖書』の「詩篇」の第5章8節の言葉であることを、受付けで配ってくれたパンフレットをみつつ教えてくれた。その意味は、「主よ、わたしのあだのゆえに、あなたの義をもってわたしを導き、わたしの前にあなたの道をまっすぐにしてください」という信仰の告白であった。

〈真っすぐな道〉それは神と共にある信仰の道である。しかし、なんと彼らの道は、〈険しい茨の道〉であったことか。他民族による迫害と弾圧の道であったことか。

ここに掲げられたこの言葉は、ポルトガルから移住した者たちが、アムステルダムという異国の地において、なおも信仰の純粋さをひたすら守ろうとした、その決意を示しているように感じた。

昼食は、かなり郊外の住宅地にある中華レストランでとった。スープと最後のデザートのスイカがとてもおいしかった。

午後は、じっくりとこの都市を代表する美術館で名作と出会うことにした。特にこの地区一画は、美術ファンなら、まちがいなく垂涎の場である。なぜなら「ゴッホ美術館〔Van Gogh Museum〕」、近代絵画を集める「市立近代美術館」、「国立美術館〔Rijksmuseum〕」がせいぞろいしているからである。この一帯は一日中いても、飽きない場所である。その中で必見の「ゴッホ美術館」と、「国立美術館」に足を運んだ。

2　国立ゴッホ美術館〔Van Gogh Museum〕

まず、この地の代表的な現代建築である「ゴッホ美術館」にはいった。この建築は、革新的芸術運動をおこなったデ・スティル派の建築家リートフェルトによるものだが、この建築家は途中で亡くなり、１９６４年に、ファン・ディレンに受け継がれ、さらに最後には、ファン・トゥリッヒによって完成したという。装飾性を排した強く平面を強調した簡素な構成的作品である。

この美術館誕生の経緯は、つぎのようである。開設の決定は、かなり早く１９６２年という。ただそれから産みの苦しみがつづく。建物の問題、作品の寄贈・収集の問題、資金の問題などをひとつひとつ解決していかねばならなかった。なかなかややこしい。

まず、遺族にあたるゴッホ家から所蔵品を手放してもらい、それをゴッホ財団が購入し、それを完成した美術館で常時展示する約束をする。国家は、資金面の用意をすることになり、最後にアムステルダムが土地を確保することで、ほぼ準備が整うことになる。

それでもまだ産みの苦しみはつづく。ようやく１９７３年になり、晴れて建物が完成し、アムステルダム市立美術館に間借りしていたゴッホの作品は、新しいこのスペースに移されることになった。照明は、ゴッホの甥のヴァン・ゴッホの主張を採用して、階によっては十分とはいえないが、可能なかぎり自然光を取り入れている。

ここは、大変な熱気につつまれていた。特に若者のすがたが目立っていた。

思いおこせば、私のゴッホ作品との出会いの始まりは、ひとつは画集の名前は忘れてしまったが、たしかその画集にあったのは白黒写真ではなかったか。もうひとつ忘れられないのは、小林秀雄の『ゴッホの手紙』である。また、海外で本物のゴッホ絵画との最初の出会いは採光のよくない「印象派美術館」(パリ)でのこと。その後は、アルルにも出かけ、ゴーギャンと共同制作を夢みた「黄色い家」があった周辺や彼が収容された病院などをみた。

このように、〈ゴッホ巡礼〉とまではいかないが、かなりゴッホの足跡と作品との出会いをしてきたが、このオランダで彼の作品をみることは、やはり母国ということもあり、特別な感慨がこみあげてくるのを抑えることができなかった。ゴッホ愛好家であれば、この美術館を抜かしてゴッホを語ることはできないだろう。やはりゴッホ詣でのメッカ(聖地)といえる。

一階では、フランドル(ネーデルランド)のリアリズム絵画に焦点をあてた特別展覧会が開催されていた。二階は、ゴッホ作品が年代をおって展示されている。ここに所蔵されている作品は、先にのべたように、ゴッホの弟テオの妻が、国家に寄贈したもの。そのため、とても価値の高い代表作がここには揃っている。弟テオは、兄弟としても、画商としても、売れなかった兄を経済援助だけでなく精神的サポートをした。

この美術館の最大の良点は、ゴッホの作品が年代順に、それをワン・フロアーで見られることだ。

オランダの「ヌエネン〔Nuenen〕」時代から展示は始まり、終焉の地オーヴェル＝シュル＝オワーズ〔Auvers-sur-Oise〕で幕がおろされる。ゴッホ芸術の軌跡が、さらに魂の苦悩のドラマの歩行が、ここでみれる訳である。まず、入口の左隅におかれたコーナーには、ゴッホとテオとの間に交わされた手紙が開示されていた。

周知のように両者の書簡集は、『ゴッホの手紙』として刊行され、極めて文学的な価値が高いが、私たちが、それを読むことができるのも、テオの妻がそれを丁寧に全5巻に編集してくれた御蔭である。この手紙のそばには、ゴッホが愛読していた書物もおかれていた。それをみると、彼はなかなかの読書家であったことがわかる。

もうひとつ、ガラスの中に収められていたもので、とても興味深くみたのが、とても大きなぶ厚い聖書である。それは、牧師であったゴッホの父（牧師）が使用していたものであり、さらに父の道を継ぐつもりで伝道師を志した時には、ゴッホ自身が使用していたものだ。書き入れされた文字もみえた。

この古めかしい聖書は、ゴッホの絵の中にも登場している。「ヌエネン時代」の暗い作品には、この大きな聖書が台の上に開かれておかれている。その描かれた作品が、聖書の現物が収められたガラスの向こうの壁に掛けられている。こうしたことが眼で実際に確認できるのも、この美術館の魅力である。

「ヌエネン時代」は、「馬鈴薯を食べる人々」にみられるように、とても重くるしい色彩が強くうねっている。一時期、私はこの時期の色調があまりに暗いため、はじめあまり好むことはなかった。むしろ、「パリ時代」や後半の「アルル時代」の光あふれる作風をゴッホらしいと感じていた。

この「ヌエネン時代」とそれ以後を区別すると、天と地ほどの差がある。それは、比喩的にいえば、地下の闇世界と光溢れる天上世界ほどの違いがあるほどだ。

ただ、不思議なもので、私も、幾分年をとったのか、それとも人生観の深化によるものかは判然とはしないが、ゴッホの過酷な人生の変遷を想いだしつつ、この「ヌエネン時代」の諸作をあらためてみると、額に汗しつつ労働する農民達の生活が、決して〈負の風景〉ではないことに気付きはじめている。

それは、どういうことかといえば、たしかに暗い人生の劇《ドラマ》を活写しているが、そこには他の時代にはみられなかった生活感が充満しており、特に夫婦や家族の温かみが、そこにははっきりとみちあふれているからだ。そこには、〈社会的リアリズム〉に近い克明な現実の再現がある。彼は、新しい絵の研究や実験などを雄々しく追求していくため、この家庭、家族、家という人間的主題とは、これ以後残念ながら無縁となってしまう。ある見方によれば、この「ヌエネン時代」が、彼にとって一番幸福な時期であったかもしれない。そんな気がしてくる。ゴッホは、一時娼婦と同棲したり、貧しき者への愛をもちつづけたが、一生結婚することはなかった。しかし弟テオとは言葉に言いつくせない信頼によって硬く結ばれていた。ゴーギャンとの、アルルでの〈黄色い家〉での悲劇的共同生活も、元をただせば、芸術家同士が援助しあうべきというヒューマンな理想を求める思想が根底にあったではないか。

そんな人間への愛を無償に歌い上げていたのがヌエネンの暗い絵ではないのか、とするならば、それは〈負の風景〉ではなく〈生の風景〉、なにより敬愛する画家ミレーのように労働する人間像の美しさを克明に描いたことになる。実は、この人間への愛、それは彼を解き明かすとても大切な鍵でもあるのだ。

さてゴッホがアントワープからパリに出る頃には、一転して光と自然の賛歌が画面に出てくる。眼の感動や、眼の快楽を知り、キャンヴァスを通して、それを表現しょうとする。ひたすら野外で光を求めて描きつづけ、当時の新規な手法である〈点描法〉も導入されている。

一見、あこがれのパリに来たという開放感と幸福感にみちあふれているように見えるが、ゴッホ自身は意識してはいないようだが、この時期の作風の変化をみていると、当時の新しい技法の消化に努めつつそれを果敢に吸収しているが、どこか模倣に近く虚ろに感じられてしまうのだが……。

ゴッホという画家は絵画の問題を純粋に追求しつつも、どこかで人間や社会の問題に関心を寄せるタイプであった。モネやルノワールのようには、ただ純粋に絵画と向かいあうことは、性分からみても出来なかった。もしもそうしたとしてもそこから光を見出すことはできなかったはずだ。そうした問題性が、一気に噴出してくるのは、アルルでの生活の破綻の後である。

ゴッホという人間は、ピューリタン的な信仰（心性）をベースにしていたのでなおさら物事は悲劇的にならざるをえなかった。終着駅をめざしつつ、みずからを無理矢理一つのレールに乗ってしまったら、その終点が死であることを知っていても、途中下車できないタイプである。当然、他者にもそれを強いることになる。それは、画家としての習性であるというよりも、むしろ人間ゴッホの本質であった。

アルルを日本と感じたゴッホは、よく野外で描いている。野に出て、風を身体に感じつつ、燃えるような太陽を必死に追い求めた。光をうけつつ、自然が作り出す美をキャンヴァスに残そうとしていた。

最後のオーヴェル＝シュル＝オワーズ〔Auvers-sur-Oise〕に残された作品には、なにか鬼気迫る寂寥感がみちあふれている。

遺作ともいえる「カラスのいる麦畑」は、不吉なカラスが舞っている。麦畑はうねりその消失点には、なにかそこに悲劇的な気配が立ちこめているようにも感じてしまう。でもむしろ私には天（空）が凄い力で地上を圧迫しているように見えてしょうがない。そこでは天と野原・大地を抗っているようにみえなくもない。そのただ中に立つゴッホ。何かいい知れぬ重圧に縛られているゴッホが私にはありありとみえてくる。

この時、彼は単にある平凡な農村の風景をみていたのではなく、宗教的な意味さえ帯びた聖なるものを、暗くそして圧迫する天（空）から何かを感受していたのではないか。カラスが不吉なのではなく、この風景が、なにか根源的な何かを暗示していたのであり、それをゴッホは感じて筆を動かしたのではないだろうか。それはもう地上において生きる場をもっていないという深い絶望ではなかったか？そしてみずからの死によって、これまでのこと全てにピリオドを打とうとしたのではないか？

いずれにしてもとりかえすことのできない魂の亀裂をかかえてしまったにちがいない。

この美術館を訪れた者は、まちがいなく、みずからがこれまで抱いていたゴッホに対するイメージを根本的に改変させられるであろう。一度は、必ずこの場所を訪れるべきであろう。誤解と偏見により形成された偽りのゴッホ神話が崩れて、ゴッホは、偉大な画家であったことを自然と思い知らされるであろう。

そういう私自身も、この場所で彼の画歴の変遷を辿りつつ、さらに3階で彼の素描と水彩をみたとき、その感慨はより深められていった。

特に、彼が一枚一枚毎に丁寧に、またある時は、もうスピードでかきとめたその素描と対話していると、その描写力に打ちのめされた。素描が、無心にとても生気を放っているのだ。彼の眼は、先入観を捨ててその風景を楽しんでいることを知らされるのだ。

また水彩における快活な筆の動きをみていると、彼は一流の風景画家であると賛美の声をあげたくなるほどだった。部厚い油絵の感覚とはちがう、肩の力を抜いた姿勢が彼の精神にゆとりを与えているようだ。

どうも彼は、油絵具を使うと、自由でのびのびとした姿勢が次第に失われ、なにか人が変わってしまうのだ。はたして油絵の魔力が、さらに絵具という物質の魅力が、そうさせるのであろうか。

この事は、考えてみればとても不思議なことだ。絵具を生《なま》で使いすぎたのであろうか。一方で特別な美術教育をうけていない彼は、たしかにデッサン力は十分ではなかった。それを一番自己理解していた彼は、劣等感をはねのけ懸命に対象をしっかりと把握するため石膏像などをデッサンしている。そのデッサンは、文字通り悪戦苦闘の跡が充満していた。

ゴッホという偉大な魂は、間違いなくこれらの作品の中に生きているのだ。

ゴッホという画家は、あまりに激しく時代の先をゆき過ぎた。そして厳しく自己をみつめすぎた。すぐれた芸術家は、不思議な力により時代を越えてしまうのである。そしてそれが実証されるのは、その芸術家が死んでからの方が多いのだ。

ゴッホは印象派のモネやマネらとは異質の画家だ。才能の差異というのはあまりに平坦な表現だ。むしろ、画家ゴッホをつくり出したのは、人間的な苦悩も含んだ内心から放出される、まさに燃え上がる赤いマグマのようなエネルギーではなかったか。

3　オランダ絵画の黄金時代

★国立美術館

「ゴッホ美術館」のあとオランダを代表する美術館である「アムステルダム国立美術館」をたずねた。この建築は、中央駅とおなじくピエール・コイペルス〔P. J. H. Cuypers〕のデザインである。教会建築の華麗な様式をもったこの建物は、プロテスタント国家にしては、カトリック主義的であると当時ごうごうたる非難の声にさらされた。

実際にその正面からこの建築をながめ、階段をのぼり内部に足をふみいれパイプオルガンなどが設置された空間や、さらにステンドガラスの装飾的デザインをみていると、たしかに美術館にいるというよりも教会内部にいるような錯覚におそわれた。こうした批判に応じるため、よくみるとステンドガラスの主題も聖人像や聖書図をとらずに、美術館らしく古今東西の画家、彫刻家、建築家の像をはめこめているなど苦心の後がみられる。古代ギリシャのアペルス、当地の巨匠レンブラントなどが描かれている。その横には、哲学ではプラトンなどが図像化されていた。

この美術館は、たしかにネーデルラント美術の宝の家となっているが、もとを辿ると１８００年に、古都ハーグのハウス・テン・ボスにあった国立アートギャラリーに起源を発する。のちに絵画部門を中心にして、それらはアムステルダムのダム広場にある王宮内に移動した。さらに、１８１７年にはトリッペンハイスに移された。そして現在に至るという。

この〈美の館〉の全貌を辿ることはなかなか一日では無理というもの。できれば、2日位をあて、疲れたらセルフサービススタイルの清楚なキャフェで休み、再び英気を養って、各階のセクションを巡って歩くのが理想だろう。

今回は、閉館までおよそ2時間30分程を使った。最初にオランダ絵画の軌跡をたどり、さらに可能なかぎり中世からルネサンス絵画の部屋をのぞいた。中世からルネサンス期に至るキリスト絵画が展示された部屋は、少々暗かった。中でも、カルロ・クリヴェッリ〔Carlo Crivelli〕の「アリア・マグダレーナ」の縦長作品が異彩をはなっていた。15世紀絵画とはおもえない現代的な容貌のマグダラのアリアが、香油壷を片手にして立っている。〈天使の画家〉フラ・アンジェリコやピエロ・ディ・コジモなどのイタリア絵画もある。全体に小品だが小粒ぞろいである。

その後、疲れのたまった足を励ましつつ、再度気合をいれなおして中世美術のコレクションをみた。それは、予想以上に展示室はかなりおおく、作品数も結構な数となっていた。展示室が採光工夫されており、彫刻などがとても見やすかった。

中世の教会を飾っていた工芸作品が、とても良質である。南ドイツを中心に活躍した彫刻家ティルマン・リーメンシュナイダー〔Tilman Riemenschneider〕の「受胎告知」があった。彼の初期作品の代表作という。素材は、アラバスター。また象牙や木彫などを素材にした工芸の粋がならべられている。この展示セクションは、彫刻・装飾芸術―中世から17世紀までを網羅している。リーメンシュナイダーについてはもう少し語りたいが、別の機会にする。なかなか見応えがある。

後半は、タペストリーや家具や調度品などが当時の部屋そのものを再現するように展示されていた。このように、オランダ絵画にとどまらずこの美術館は、フランスなど各国の装飾芸術のコレクションにも力をそそいでいるのが特色であった。

★オランダ絵画の特性

さて、オランダ絵画の特性とは何だろうか。ここですこし要約しておくことにする。

画家や彫刻家は、いつの時代もみずからの国の歴史的特性に拘束されるものである。文化風土は、歴史的、政治的要素の総和でもあるといってもまちがいではないだろう。オランダは、17世紀を黄金時代としてむかえることになるが、当然にもこの17世紀に開花した絵画文化も、新興国家オランダの自立と発展と密接に関係するのである。

17世紀以前までは、この地は、カトリック教国スペインの支配圏に属していた。特に16世紀までは、スペインのドル箱的存在となっていた。神聖ローマ帝国カール5世は、マルゲリータ・パルマを総督として派遣し、ネーデルランドとある程度の融和を保っていたが、その息子フェリペ2世が位を継ぐことで状況は一変した。王は、アルバ公に全権を委任し、新教徒の宗教的弾圧に拍車をかけた。国土を荒廃させ市民の反感をかうことになる。

アルバ公は、17州の自治政治と市民の経済基盤を破壊させるため、さらに新税を制定した。しかし、それが契機となり、人民の蜂起を引きおこし、激烈な宗教的内乱へと突入した。最終的には１５７９年に北部７州がユトレヒト同盟〔Unie van Utrecht〕を結び、最終的には１５８１年にはデン・ハーグでの独立宣言によりスペインより解放されることになった。

それに伴って経済の中心もアントワープ（アントウェルペン）からアムステルダムに移動した。

プロテスタント国家としてのオランダは、積極的に船を建造し、貿易国家として世界の経済的覇権を独占するまでに急成長する。東方や、数多くの植民地から流入する商品は、嗜好品の香辛料からダイヤモンドまであらゆるものが街にあふれた。カルバン主義の精神は、初期資本主義を助長させ、ブルジュアジーとよばれる全く新しい勢力を自立させた。

この新興勢力のパワーが、新しい文化風土を醸成させた。このことはとても大きなことになる。それが、活力ある新しい絵画を生み出させ、財力をもった市民層の要望に答える形で画家たちはみずからの作品を商品化させていった。話が長くなったが、つまり、かれらの生活空間をかざるための絵画が成立したわけだ。

ここで注目すべきなのは、画家が決して特権的立場の人ではなく、いわゆるアマチュアの人もその群れに参加できたことだ。たとえば、ヤン・ステーン〔Jan Steen〕という画家がいるが、彼は、元は酒屋の店主であった。いまや飲み屋の主人の作品が、美術館の壁を飾っている。これは、オランダらしい現象であり、ベルギーでは到底考えられないことだ。

調べてみるとこのヤン・ステーンの経歴は、かなり異色である。１６２６年にライデンに生まれ、１６７９年にライデンに没する。１６４８年には、ライデンの画家組合に登録されている。１６５４年には、デルフトに移住し、そこでビール醸造業を営み、１６６９年には、居酒屋を営んでいる。ヤン・ステーンというと、俗的な人物を描き、画像のなかの人物の口元は、ほぼまちがいなく卑俗な笑いにみちあふれているが、それらはみずからの経営する酒場「蛇亭」で、毎日みていた光景という。

そうしたたわいのない市民生活を題材にしつつ、ひとつの道徳的な〈教訓話〉に仕上げているわけである。「愉快な家族」という作品も、その系列に属する風俗画である。そこには、ふざけたり、馬鹿さわぎをしている庶民が登場している。床もテーブルも乱雑かつゴチャゴチャ。哄笑の渦が部屋にみちあふれている。たよくみると、暖炉の上には、なにやら紙切れがぶら下がっている。そこには文字がしるされている。それは、「As the Old Sing, So Pipe the Young」（英語）というネーデルラントの諺である。つまりは〈両親がするように子供は、真似をするものだから、大人は、しっかりとしなければならない〉という庶民にむけた〈教訓話〉を絵は示しているのだ。

もう少し詳しく、オランダ絵画の特色について確認してみることにする。宮廷や貴族、教会といった依頼主にかわってギルド組合や一般市民のための絵画が成立した。当然にも、主題も新しくなった。風景画、風俗画、静物画、肖像画という新しいジャンルの絵が登場する。

たとえば、その肖像画のなかでも、オーストリアの美術史家であるアロイス・リーグルが指摘する「集団肖像画」という新しいジャンルがある。画家にとって画料が高く、なかなか確実な商品であったという。

現在でいえば、〈集団記念写真〉という性格をもっている。市民達は、グループ組織（組合）を形成し、みずからの存在を確認し、出自や職能を語らせた。数多くの肖像画が、描かれることになるが、その中でも異色な傑作をつくり出したのが、レンブラントである。

★「夜警」〔De Nachtwacht〕

南のカトリック国家であるベルギーには、ルーベンスがバロック絵画の大輪を咲かすことになるが、この地にはレンブラント・ファン・レイン〔Rembrandt Harmenszoon van Rijn〕がいる。彼には、肖像画の傑作として通称、「夜警」とよばれる大作がある。通称「フランス・バニング・コック隊長の市警団」という。

この美術館の広大な部屋にドーンと王の様に君臨している。周りには、他の画家の肖像画があるが、それと比較しても構想力が独創的でその実力の差は一目瞭然である。彼は、これまでの平等主義を平気でこわしていった。依頼主は、組合の会員である。それ故、ひとりひとりの会費で支払われる。だから、平等な価値をもたせる必要があった。

しかし、レンブラントは、そのルールを無視し、壊した。「夜警」などでは、みずからめざす絵画をつくるためこの原則を排し人物の内面まで捉えつつ、劇的な動きと光と影のおりなす空間をつくりだした。依頼主は、当然にも〈異議あり〉をとなえたという。この冒険的試みが災いして、彼の名声は、一時かなり低迷する。自分のめざすべき絵画を創造することで、名声は急速に落ち注文も途絶え、経済的にも困窮をきわめる遠因となった。〈後世の知己を待つ〉という名言があるが、それがこれほど実証された作品もないといえる。
後になって、普遍の価値をもつと絶賛されるが、当時のレンブラントにとっては〈躓きの石〉であった。このように、いつの時代においても、その時代における名声は、決して絶対的なものではないらしい。表現者は誰にも媚びることなく、みずからの意志と信念に従って創造し、真実の作品をつくり出すことがなにより大切のようだ。

ただこの作品は、さらに20世紀に入り、受難の歴史を辿ることになる。どうも名作は、受難の対象になるものらしい。ファン・エイク兄弟の「神秘の子羊」もそうした難をうけたが、レンブラントのこの作品は、信じられないことに、なんと切り裂かれるという悲劇的事件を被ることになる。

絵画としては、致命的な傷をおった。精神的な病をもった一人の男が、ナイフで切り裂いたのだ。私はこの絵の前に立って細部に目を注いだ。修復の傷はたしかに残っているが現代技術を駆使し修復をかさねることで、見た目には、気付かないほどに手術が成功したことがよみとれた。すぐれた修復のおかげだ。

ここには、レンブラントのもう一つの傑作「The syndics of the drapers' guild」（１６６２）がある。「織物商組合の幹部たち」という織物業者のギルド組合から依頼されたもの。ここでも、彼は通常の画面を大胆に変革させてしまう。５人とアシスタント１人を優れた心理的場面のなかに配置した。あたかもドアをあけたら、メンバーは会議中で、こちらに視線を送るというシーンを活写している。

この臨場感、なかなかである。あたかもスナップショットの如き味がある。ある者は、いましも立ち上がろうとしている。さらに劇的効果を強化するのは、テーブルを下から見上げる構図である、古い形式の破壊。そして心理と動作の結合。その表情の的確さ。外光に照らしだされた人物達の内面が、帽子と服の黒に助奏されているのがとても印象的だ。

さて、目を静物画に転じてみよう。なかではやはりヘッダの緻密さが、群をぬいている。オランダ絵画は、〈海の国家〉らしく、船で運ばれてきた異国の品々や、季節毎に食卓や、市場を飾った魚や花まで、実に多様なものが登場してくる。時には、水滴や虫や蝶までもがリアリズムの極致で描かれている。

また、そうしたリアルなさまざまな物達の肖像を描きつつ、寓意をこめることも忘れることはしなかった。生あるもの、形や色あるものも、いつしか腐敗し崩れていく。

そこにそうした人生の寓意《メタファ》を込めるものを「ヴァニタス〔Vanitas〕絵画」というが、この頃にはそれがさかんに流行した。ヴァニタスとは「人生そのものの空しさを寓意」すること。人間の五感である視覚、嗅覚、触覚や、自然の4大要素である水や火などを象徴化して図像を構成した。

さてこのクラースゾーン・ヘッダ〔Claeszoon Heda〕の作品には、スライスされたレモン、牡蛎、蟹、ナプキン、ナイフ、銀皿や水差しなどが克明に再現されている。他の画家も多くの静物画を描いたが、それらの一群の人たちにみられる俗性がまるでない。それはあたかも〈事物の肖像〉を描いているかのようでもある。微細なものにも神が宿るが如き筆技である。

ここでも、主題は光である。窓から注ぐ光をうけ反応する物質。現代的な感覚の光沢美と物達の物語。これもまた彼らが考えた新しい〈聖なる絵〉となった。

風景画では、オランダ最大の風景画家の名声をほこるヤーコプ・ファン・ロイスダール〔Jacob Izaakszoon

アムステルダム国立美術館＊

van Ruisdael〕がいる。

ここでも、他の風景画家とは一線を劃する地平を獲得している。後の時代には、ロマン派達から高い評価をうける。１９２６年にハールレムにうまれ、アムステルダムで極貧の内になくなった。彼は、しばしばオランダではみられない異国の風景も描いた。ただロイスダールの「ウェイク・ベイ・ドゥールステーデの風車」〔Windmill at Wijk bij Duurstede〕（１６７０年頃）には、この地特有の風景が展開している。

人物はあくまでも小さい。主役は、人間を越えた神の創造物としての自然であった。風車と川辺の上には、空と雲が悠悠と存在している。〈クラウディな空〉。それは、この地の別称でもある。画家は、ストレートに自分の眼だけで自分の前にひろがる風景を見つめている。純粋な眼がここにもある。それは、のちに登場する印象派の画家達の眼にも非常に近いともいえる。

4　クレラー＝ミュラー美術館〔Kröller Müller Museum〕

★クレラー＝ミュラー夫妻

最終日は、まずホテルから「レンブラントの風車」と呼ばれている場所で彼の銅像をみてから、オッテルロー〔Otterlo〕にある国立クレラー＝ミュラー美術館をめざすことにした。ここは、レンブラントがデッサンなどをした場所という。

初めにハプニングがおこった。周辺を散策し一基だけポツンとのこされたなかなか風格のある風車をみているると、そこに一群のグループが集まりはじめた。さらに、中国の旅行団が加わり、大変な熱気となり、一気に歌と踊りの祭の場となった。民族衣装をしたこの一群は、てっきりわれわれのような観光客を目当てにしたオランダの演奏グループかとおもったが、どうも様子がおかしい。旗をかかげ、音楽を演奏しはじめた。近づいてよくみると、旗には、ラ・サールや大学という文字がみえるではないか。いつか音楽もマリアッチ風となり、昔、耳になじんだラテン音楽の名曲（メキシコ民謡）であるシェルト・リンドのメロディも聞こえてきた。

このグループは、国旗からみてメヒコ（メキシコ）であることが判明した。ヨーロッパ各地を旅行しつつ、このような演奏をして日銭を稼いでいるのかもしれない。そこは、しばしの間、オランダの風車をバックにして、メヒコと中国、日本が混在した国際交流の場となった。銅像のレンブラントもきっとビックリしていることだろう。

車は、一路自然豊かなデ・ホーヘ・フェルウェ国立公園をめざした。道を走ると、水面より地面の方が低いのがよくわかる。途中で、郊外の金融関係の新建築地区や、アムステルダムのサッカーチームの本拠地であるドーム球場の下を通りぬけた。狭い国土を広げるためには、干拓が必要で、郊外では今なお政府主導で進行しているのがよく理解できた。

高速道路の標識に、第二次世界大戦の最後の激戦地となったヘルダーランド州の州都アルンヘム（アーネム）〔Arnhem〕の名がみえてくる。リチャード・アッテンボロー監督の映画「遠すぎた橋」（1977）は、この街の一本のジョン・フロスト橋をめぐって戦った、連合軍とナチスとの激しい攻防を描いている。ジョン・フロストとは、橋頭堡を守ろうと4日間奮戦した連合軍のパラシュート大隊の隊長名という。

デ・ホーヘ・フェルウェ国立公園は、森林、荒れ地もふくめ約5，500haの広大な敷地であり、オランダ最大の自然保護区でもあり、数千もの希少植物や動物が生活している。動物でも、ノロジカ、ムフロンアカシカ、イノシシなども生息している。そのため、かなりの部分が立入り禁止地帯となっている。

実際に、自然公園に入ると、木々も高く赤茶の土や、草地が一変する。自転車でも入場することも可能だ。所どころでキャンピングをしている姿もみえた。ゆったりとこの原野を貸し自転車でサイクリングし、移動している姿がみえる。ここで料金を払うと、あとは全てノーチェックとなる。

このクレラー＝ミュラー美術館を見聞する目的は、世界各地で野外彫刻公園が建設されているがそのモデルとなっているのがこの美術館であるからである。日本の箱根彫刻の森美術館や、札幌の芸術の森野外美術館なども、すべてこの美術館が手本となっている。

もうひとつの見所は、なんといっても近代美術の良質なコレクションとゴッホのコレクションである。ゴッホだけでも総数278点が所蔵されている。開館は1938年のこと。

実見してみて、札幌芸術の森美術館と比較しても、ここでは彫刻がとてもゆったりとして展示してあり、他の作品同士が接近せずに、ほどよい距離を保っているのが、とても心地よく感じた。時に〈自然に優しく〉を貫き、自然が人間の手により改造（造形）されていないのがよく理解できた。

さてこの美術館であるが、設立者は、第一次世界大戦前後に、多大な財産を形成した実業家クレラー＝ミュラー夫妻である。夫が集めた豊富な資金をもとにして妻が絵画などを購入したという。

森に入り、動物や鳥たちを狩の対象とした夫と対照的に、妻は、〈芸術を狩の対象〉とした訳である。この1万5千エーカーの広大な自然の森も、クレラーが私的な狩猟場として購入したものという。後に、それをそのまま国家に寄贈した。コレクションには、フィンセント・ファン・ゴッホが多く含まれているが、それは、妻ヘレンの購入アドバイザーであったH・P・ブレマーが、ゴッホにつよく興味・関心を示していたからという。ただ一言付け加えれば、1910年代当時は、まだゴッホも印象派の作品もかなり安価であったようだ。

入口は、美術館という様相はまるでない。あくまで公園の入口というかんじだが、真っ先に眼に入るのは、マーク・ディ・スヴェロの「Kピース」。鉄の構成的作品である。

はじめにみえてくるのは、旧館の建物だ。それは、ユーゲント・シュティルの建築・デザイン運動の牽引者であったアンリ・ヴァン・デ・ヴェルデ〔Henry Van DE VELDE〕の作品である。彼は、画家として出発したが、建築、工芸分野に転向し、ドイツで特に評価が高く、１８９９年よりそこに定住することになる。１９０６年には、ヴァイマール応用美術学校の学長ともなっている。彼の建築面での仕事で大切なのは、ケルンの工作連盟集会場とこの美術館であるという。また家具デザインにおいても重要な作品をつくり出し、また理論的著作もおおく多面性をもった芸術家である。

他方、白い新館は、１９７７年に造られたウィレム・クイストの設計によるもの。全体的に、採光が豊かであり、カタログなどの売店や、清潔感あふれるキャフェなどとてもモダンである。またこの美術館の個性は、平屋構造を生かしつつ、窓もガラスを使用し光に満たされていることだ。作品が、白い壁色と自然光の下で観賞できとても開放感覚にみちみちている。特に、採光抜群の現代美術の展示場は、決してオーバーではなく、今までみてきたギャラリーでもベストワンに値するとおもうほどだった。

入口には、現代美術のひとつの傾向であるネオンを効果的に使用した、ブルース・ノーマンの「ウィンドウ・あるいはウォール・サイン」（１９６７）が向かいいれてくれる。

そこには、「The true artist helps the world by revealing mystic truths」とかかれているのがよみとれる。どうも、〈世界を解き明かす〉という、本来、芸術家が果たすべき使命を表現しょうとしているようだ。それを文字やネオンという新素材を利用して伝えようとしている。構成は、とても単純でネオン管が、蝸牛のように渦をなしているというもの。〈美術とは何か〉ということを根源的に問いかける言葉であり、たしかに美術館という入口空間に置くには、なかなか暗示的な作品ではある。他のネオンアートでは、よほど意識していないと見過ごしてしまいそうなダン・フレイヴィンの作品があった。私も照明器具と間違ってしまったほどだ。それは、ひっそりと壁面に付くようにしての螢光管が光を発していた。

採光豊かなギャラリーと手前の部屋では、今回はパナマレンコ〔PANAMARENKO〕の作品が特別展示されていた。

このパナマレンコは、ゲントの現代美術館でもおおくのドローイングをみたが、ベルギーのアントワープ生まれということも関係しており、この地域ではよく知られた新進美術家であるようだ。

ベルギーを代表する現代美術家である彼は、保守的なベルギーのアカデミーに反発し、さまざまな実験的なハプニングを繰り返した。１９６０年代後半には、オブジェ制作を経て１９６９年には、彼の作品主題となる飛行船の計画を発表している。１９７１年には、「アエロモデラー」や「人力飛行機」制作に専念し、重力や磁場といった問題や、空のみならず海世界にも関心をしめし、潜水器具の開発にもチャレンジしている。

そうした夢想のデザイン、自由への渇望は、１９９１年には、「Ｋ２級外高度７，０００メートル飛行パナマレンコ自動車」という〈空飛ぶ飛行機〉の制作につながっていった。

パナマレンコについては、１９９２年７月に東急文化村「ザ・ミュージアム」で開催された「パナマレンコ展」で出会っておりとても懐かしかった。まだまだ日本では馴染みの浅いこの芸術家についての論評を、ここでかいつまんで紹介しておくことにする。

「パナマレンコ展」カタログには、「科学の進歩が、人間のライフ・スタイル、思考を変えていく中で、神話・

伝説の時代から育まれて人間の無邪気な夢、素朴な幻想は姿を消していきました。人々は明確な世界像を手に入れた代わりに自由な創造力の拠りどころを失ってしまったのです。しかし、パナマレンコにあっては、科学は人間の空想の翼をはばたかせる役割を担っています。それは精神の自由なる飛翔であり、地上のすべての束縛からの解放を意味しています。つまり科学は芸術と対峙するものではなく、創造の源泉なのです。作品に内包されたメタファーは現代生活に身を置く我々に鋭い文明批評を突きつけると同時に、純粋であった心の奥底の遠い記憶を呼び覚まそうとしています」（主催者挨拶）と紹介されていた。

私は彼を〈現代のレオナルド・ダ・ヴィンチ〉と位置付けている。というのも、彼ほど純粋に空を飛ぶということ、空を飛ぶための機械を考案した芸術家はいないからである。

この展示場にも、なんとも不思議な人力飛行機や、どうみても空を飛べないへんちくりんな自動車がおかれていた。この夢や幻想に遊ぶ姿勢には、とても希有なユーモア感覚がある。子供の無邪気な工作でもありつつ、人間精神の生み出した高貴な自由の創作物でもあるのだ。

私達は、宇宙時代への夜明けに生きているが、芸術家のこうした〈飛べない飛行機〉のほうが、火星や他の惑星を探査する宇宙船の映像よりも、百倍も夢を飛翔させているのではないだろうか？彼の手作りの仕事をひとつひとつみていると、そんな気がしてくるのを抑えることはできなかった。

さて、この美術館で〈ゴッホ詣〉をするためには、まず先に現代彫刻の諸作と出会いつつ、さらに近代絵画のおさらいをしなければならない。最初にみたのは、トイレの側《そば》におかれたジョージア産の色大理石を素材にしたイサム・ノグチの作品。１９４４年というから彼にとって実験的な仕事をしている時点のものといえる。柔らかい造形感覚には、サルバドール・ダリの影響（臭い）もするし、かなり濃厚なシュールな自在な精神も反映しているように感じた。

それに向かいあうようにしてイギリスのヘンリー・ムーアの彫刻が対話している。ヘンリー・ムーアは、古代のドルメンなどの建造物にも関心をもち、彫刻の塊にスリット空間（空洞）を持込み有機的な形態をつくりだした。

彫刻で注目したのは、イタリア現代彫刻の雄、マリノ・マリーニの馬と騎手を主題にしためずらしい木を素材にした作品だった。大地を両足でふんばり、硬直した身体をみせる馬。その反動で、いまにもふりおとされようとする騎手。寄せ木による木肌の差異が、ブロンズの肌合いと異なり、おのずと自然感をかもしだしていた。

その手前におかれたザッキンの木彫。これもとても珍しい。表現主義的な木の造形感覚が、すごいパワーを発していた。また、ブルース・ナウマンの作品も設置されていた。壁には、ロシアの構成主義の作品や、見落としてしまいそうな、「ミニマル・アート」を代表するソル・ルウィットの、壁に直接描いたドローイングが、美しい線の軌跡をみせていた。

★野外彫刻

野外彫刻で、一番馴染のあるのは、札幌芸術の森の入口におかれた浮かぶ彫刻の作者マルタ・パンの「浮かぶ彫刻」（1960-1961）であろうか。

素材は、ポリエステル。高さは、180㎝。これは、女性彫刻家マルタ・パン〔Marta Pan〕の出世作といえる。野外美術館という空間を意識した環境的作品である。池に浮かぶ彫刻。刻々と表情をかえる。風に対応し、またみる角度によりその表情もちがってくるのだ。気づいたのは、池の水面に映しだされた映像と水面上の像が呼応し、それがとても美しく、この作品の魅力となっていることだ。実にこの作品は、白鳥ように佇み、池の中で自由にスローな舞を踊っていた。

もう一つ、興味ぶかかったのは、ジャン・デュビュッフェ〔Jean Dubuffet〕の彫刻だった。「エナメルの庭園」（1974）は、コンクリートとエポキシポリウレタンを素材にしたもの。壮大な作品である。ひときわ異質な容貌をみせる。青空に白の空間が映えている。強力な意志をもった線に縁取られた断片が生き物のようにうねり、塔のようになり、床面を這っていく……。

この作品を体験するためには、結構高い位置にあるため壁面をつたい、入口を目指しそこから胎内くぐりのように小さく狭い階段をのぼっていく必要がある。外に出ると、なんともいえない不思議な空間が、展開していた。足元もフラットではないため、滑りやすくとても不安定でありなかなかあるきづらい。こうした、実験的な作品を平然とみせる前衛姿勢には、脱帽であり拍手をおくるべきであろう。

デュビュッフェは、戦後のフランス芸術のみならず、世界の美術シーンを牽引したアンフォルメル（不定形）運動の主導者でもある。〈定形の美〉ではなく、不定形な美。それは、生命的、有機的な形態の復権をめざすものであった。これは、デュビュッフェの夢の公園のようにみえた。

さらにデュビュッフェは西欧の伝統的価値を否定して「生《き》の芸術」アール・ブリュット〔Art Brut〕を提唱した。

一番近いところには、近代彫刻の先駆者であるロダンの「うずくまる婦人像」（1880-82）やブールデルの「婦人立像」と、水平の姿勢をとるA・マイヨールの女性像が彫刻家の個性をきわだたせるように設置されていた。

野外彫刻全部をみることはできなかったが、イギリスの女流彫刻家デイム・バーバラ・ヘップワース〔Dame Barbara Hepworth〕の作品がおおくみられた。

室内のギャラリー空間には、ルーマニア出身の抽象彫刻の先駆者コンスタンティン・ブランクーシ〔Constantin Brâncuşi〕の名作「世界の始まり」が特別にガラスに入れられていた。この美術館カタログを参照すると、この作品は、〈教育・文化省・モンドリアン協会及びレンブラント協会の援助によりプリンスベルナール基金を獲得1995年に購入〉とある。1924年作のブロンズである。わずか28．5㎝の卵型宇宙が、世界の始原を宿している。なんとも曲面が優美である。沈黙するブロンズである。

広大な高さを誇っているのは、アメリカのオレゴン州生まれの彫刻家ケニス・スネルソンの「針の塔」（1968）だ。スティールとアルミニウムの作品。天を射し、幾何学的に構成されたもの。そのスティールの管が交差しつつ積み上げられていく。対角による張力を利用したもので、なんと高さは26．5m。極めて数学的思考にうらうちされた構成主義の作品でありながら、真下からみると、交差してつみあげられたものが、線となりあたかも、ゴシック教会の天井をみるかのような感覚をあじわうことができた。

「針の塔」というイメージとは別な異質なものを感じた。数学的、物理的思考と彫刻的空間が、みごとに調和された異色の作品である。その手前にあったモビールも無彩色で、ゆっくりと風に反応するもので、この両者の配置がなかなかよかった。

★近代美術との出合い

ここの近代絵画コレクションの質はとても高いものがある。必見のものがたくさんある。

新印象派のジョルジュ・スーラ〔Georges Seurat〕がかなりの作品があったという印象である。

代表作の一つ「シャユ踊り」は、ここにある。この作品は、無審査スタイルの「アンデパンダン展」に出品したもので、若くして亡くなったこの俊英画家の遺作である。光(外光)をひたすら求めて「点描法」により画面を緻密に構築したこの画家としては、とてもめずらしく夜の室内の光を主題にしている特異な作品である。新印象派の影響をうけたテオ・ファン・ライセルベルフが描いた果樹園の家族が外光を美しくとらえていた。

19世紀において開花した世紀末絵画の中でも、独自な世界を築いたオランダ人のヤン・トーロップ〔Jan Toorop〕の諸作もあった。幻想の濃い、そして死の気配が立ちこめている「散策する人々」(1891)が心に残った。

オランダ近代美術を代表するピート・モンドリアン〔Piet Mondrian〕の諸作も見逃すことはできない。静物や風景具象から開始したこの画家は、次第に抽象へと向かっていく、その過程を作品を通して実見できる。現代都市ニューヨークでの生活により、抽象志向を大きく変化させ、美術史上でも有名な「ブロードウェイブキヴキ」などの作品も生みだされていく。同系の作家には、バルト・ファン・デル・レックがいるが、かれの「コンポジョン１９１８№４」がある。

めずらしかったのは道化師を描いた写実性の強いルノアールの作品であった。作者名を忘れたが、たしか女スパイの〈マタハリ〉を描いた油絵もあった。

やはり、ここでの最大の楽しみは、ゴッホの作品との出会いである。

アムステルダムのゴッホ美術館にはない名作がめじろおしである。たとえば、アルル時代の「夜のカフェテラス」（１８８８）。プロヴァンス地方のアルルで、彼は「黄色い家」でポール・ゴーギャンと共同生活をするが、この地でかかれた作品でもとても重要な作品がこの「夜のカフェテラス」である。

実際に冬のミストラルが吹き荒れる日に、このカフェをアルルで見ているので、そのことがつい思い出してしまう。画集には必ず収録されている「吊り橋」や川辺で洗濯をする女性が描かれた「ラングロアの橋」や〈日本趣味《ジャポニズム》〉の影響が強い「花咲く桃の木―マウフェの思い出」もここにある。これもアルル時代の作品であろうか。

うねるような生命力をみせる「オリーブ園」やこれまた代表作である「糸杉と星の見える道」（１８９０）もみることができる。ゴッホは糸杉のフォルムに魅了され、「エジプトのオベリスク」のように美しいとのべている。またある評者は「死のオベリスク」とものべている。

5　ヘット・ロー宮殿〔PALEIS HET LOO〕

オランダで最後に訪れたのは、アペルドーレン〔APELDOORN〕の街にある「ヘット・ローの宮殿」である。入口には、孔雀が優雅に舞っていた。宮殿に至る建物には、王族や貴族達が使用した王室専用馬車やリムジンカーなどが保存されていた。宮殿に至る並木道は、とてもゆったりとして気持ちがいい。

途中で、木に掛けられた一枚のポスターをみたが、その図柄には、この宮殿の上に浮かぶ巨大な風船が記されていた。それを詳しくみてみると、数日後には、この「ヘット・ロー宮殿」を舞台にして開催される風船（バルーン）競技会の予告ポスターであることがわかった。どうも古くからの競技（スポーツ）であるらしい。

空からこの素晴らしいフランス風宮殿に鳥のように舞い下りる。それは、なんとファンタスティックなスポーツであることか。

はじめ総督ウィレム3世は、１６８４年には狩猟の際の別荘として建設を開始した。以後代々のオラニエ家の人々は、この夏の離宮を利用した。パリ郊外のベルサイユ宮殿の庭園設計は、名匠ル・ノートルらであるが、全体の建築はJ・ロマン、造園はD・マロらである。

ヘット・ローの庭園はそれらの様式美を可能な限り継承しょうとしているのが読み取れた。

さて、この宮殿は、１９７5年まで王族の〈夏の離宮〉として使用されていた。最後に住んだのは、ベアトリックス王女の妹君マルグリート家であった。

１９８4年からは、建物や庭園をオリジナルの17世紀の様式に修復して美術館として公開している。たしかにこのヘット・ローの庭園は外見含めていかにもベルサイユのミニチュアという感じではある。宮殿の中をみることはしなかったが、そこにはイギリス王ともなったウィレム3世やメアリ2世の寝室や、図書館、絵画館などがあるという。

庭園はとても素晴らしいのひとことに尽きる。

幾何学的庭園の様式を採用しており、特に実にさまざまな花々が咲き乱れ、眼は休まる暇はない。庭園の主題は、ギリシャ神話でありナルシス、バッカス、ヴィーナスなどの像が置かれている。中央には、あまり大きくはないが、白いヴィーナスと黄金色のネプチューン像など配置した優雅な噴水が置かれている。ベルサイユ宮殿の庭よりもこの庭園の方が私の好みにマッチしていると感じた。

この売店では、この庭園紹介のカタログを買ったが表紙をめくるとペトルス・シュエンクによって１７００年頃発行された当時の銅版画が記載されていた。その図をみて再び驚いた。それは、ベルサイユ宮殿ではないかと見間違う程の規模を誇っていたのだった。

またそこには、この庭園造営の古い写真などが記載されていた。それをみていくと、実に丁寧にオリジナルを再現していることがわかる。写真だけをみても造園は大変な工事であったことが読み取れた。

美しい庭園が眼に焼きついてなかなか離れなかった。その記念に一個のコーヒー茶碗を買った。フランスのリモージュ製でこの王立庭園を絵柄にしたもので、小さいが淡い緑色が印象的であった。それは今も私の家のリビングにおかれた飾り棚の一隅におかれている。

［アートコラム1　新しいゴッホへのまなざし］

★クレラー＝ミュラー美術館

日本において待望久しい「ゴッホ」展が開催された。場所は横浜美術館と名古屋市美術館の二館のみであった。オランダのクレラー＝ミュラー美術館の全面協力で実現したもの。

このクレラー＝ミュラー美術館は、アムステルダムの約80キロ、オッテルローにある広大な敷地内にある。この美術館は、オランダの実業家ヘレーネ・クレラ・ミュラーの収集品を基盤にしている。

今回の展覧会カタログ収録の「クレラー＝ミュラーとファン・ゴッホ」というヨハンネス・ファン・デル・ウォルク」（クレラー＝ミュラー美術館絵画部門学芸員）の文によれば、この美術館は１９１３年に私立美術館として産声をあげている。その時、はやくも約２７５点におよぶコレクションがあったという。１９２８年には、このコレクションはクレラー＝ミュラー財団にひき継がれていき、最終的にはオランダの所有となる。

さらに１９３８年にはオッテルローの地で国立クレラー＝ミュラー美術館として開館し、建築家アンリ・ヴァン・ド・ヴェルドの設計による建物に安住の地を見出すことになる。さらに１９９４年には民営化され、現在の呼称となったようだ。

富裕な貿易商の妻たるヘレン・クレラー＝ミュラーは、美術教師にあたるH・P・ブレマーの影響をうけつつ近代美術の全体像に興味をいだいた。ブレマーは「近代美術発展の諸問題」という著作をもっているように、決してゴッホに限定して興味を抱いていた訳ではなかったようだ。

ただゴッホを理解する上で、〈多くの人の妨げの石〉ともなっているその苦悩の軌跡と自殺についてこうのべている。「その可哀そうな男の苦悩に終わりが訪れた。そのことだけである。私は、彼が残した最上のもの、すなわち彼の作品にのみ興味を抱く」と語るようになかなか冷静である。

そして、ゴッホの手紙の質の高さを評価しつつ、全部読むようにと勧奨している。オランダ人らしく寛容の精神にもとづき冷厳にこの画家の真髄をみきわめていたことになる。

このカタログについて、もう少し語っておきたい。収録論文の陰里鐵郎（当時・横浜美術館館長）の「ゴッホ受容—１９１０年代について」では、日本におけるゴッホ紹介の軌跡を探っている。そのことを紹介しておきたい。

最初は、１９１０年の『昴（スバル）』の第2年第五号のなかの「椋鳥通信」の記事であるという。紹介者は、この通信の筆者森鷗外であった。この記事は5月のもの。同年の11月には、「ロダン第70回誕生記念号」となっている文芸雑誌『白樺』8号において、斎藤与里が「ロダンに就いて起こる感想」を記すことになる。

森鷗外の方は、留学中のベルリンで実際にゴッホの作品と出会っているが、『白樺』の方の斎藤与里は、豊かな色彩のゴッホ作品をみてはいない。森鷗外は、ベルリンで開催されたセセッション（分離派）展で、マチスやセザンヌの作品と共にみて、他の画家作品が古くみえるほどにゴッホの作品から発せられた「強い単純な色」に関心を払っていたという。

他方、斎藤与里は、「プン・ゴッフという云う画家が……ミレーの絵を模写したのをみた」とのべつつ、「形式に囚われずに内部に立ち入らなければ、生きた芸術は生まれて来様筈がない」とのべているという。

善くも悪くもこの雑誌『白樺』の視点は、その後のゴッホ像の日本における定番となっていった。あるべき近代的意識の模索の過程で、画家ゴッホは人間主義的観点で特に文学雑誌を中心にしてさかんに注目されていった訳である。封建的な自我像の克服と、新しい解放された人間像の模索という課題を一身に背負った「白樺派」につらなる文学者達は、ゴッホのモノクロ複製図版から必至になにかを探ろうとした。

それは、現在のように実際に実作と出会うことがあたり前になっていることから考えれば、彼らのゴッホ理解は、〈観念的すぎる〉〈幼稚的〉といわざるをえないのだが……。

ただそこには真摯なゴッホ探求心が在ったことはまちがいないといえる。陰里鐵郎は、特にこの時代の画家の中では、岸田劉生は、「自分はゴッホの生活の前に戦のく。彼は人間がどの位強く生きられるかを自分にしめして呉れる。生きねばならぬ。全力を挙げて」とのべているという。画家達にとってはみずからの描くべき課題との関係でゴッホの存在は、なかなか重い対象であったようだ。

もう一つの論文について紹介しておきたい。それは、カタログの大部を占めるもので、圀府寺司《こでらつかさ》の「宗教・自然―ファン・ゴッホ作品の根源的主題について」である。なかなかの力作である。この研究論文の特異なところは、これまでの批評方法をとらず〈教会〉〈太陽〉〈向日葵〉といった主題と図像を〈意味素〉として取上げ、その象徴性をゴッホの内面世界にひそむ精神像との相関でみようとしたことにある。圀府寺は最近の研究成果をふまえつつ斬新な問題提起をしている。

たとえば、〈向日葵〉の象徴的意味の系譜を、16、17世紀に出版された『象徴辞典』（エンブレマータ）を考察しつつ、〈向日葵〉が太陽に顔をむける向日性があり、それが宗教的信仰心やキリスト的愛の記号につながっているとのべるのであった。

★エミール・ゾラの小説世界との類似

圀府寺司は、〈向日葵〉は南仏アルルのユートピア（共同体思想）と密接に結び付くという。さらに論をすすめている。ユートピアのシンボルであるこの花が描かれることにより画面から消えてしまうことになる〈掘る人〉の主題に着眼する。「〈掘る人〉というのはファン・ゴッホにとって、あくまで楽園追放のモティーフであり、彼が南仏の共同体というユートピア、すなわちパラドゥー的な楽園を求めていた時にはそれを描く必然性を感じなかったといえるだろう」とのべている。

では、ここで着目しているパラドゥー的な楽園とは一体なにか。それは、エミール・ゾラの『ムーレ神父の罪』で登場する南仏のアルトーという村の近くにある広大な庭園のことという。ゾラは、このパラドゥーと聖書に記述された楽園追放の物語と二重写しにみていたらしい。

物語の筋を簡単にのべると次のようになるという。セルジュ・ムーレ神父は、幻覚を覚え気を失い、アルビーヌという女性に助けられる。セルジュは、この女性と恋に陥ち、二人は生命の樹の下で裸体でいるところを発見され、セルジュは、修道士にもどり、みごもったアルビーヌは自殺するのだった。

ではゴッホにとって、この物語はどのように映ったのであろうか。それが、圀府寺司がこだわった視点だ。文学としても価値の高いゴッホの書簡には、この小説のことが引用されている。

「この泥炭掘りは、〈パラドゥー〉とは全く別なものだ。しかし僕もパラドゥー的主題と取っ組むことになるかもしれない」「そう、僕にとって自然のなかの嵐、人生のなかの悲しみこそ最上のものだ。〈パラドゥー〉は美しい。しかし、ゲッセマネはさらに美しい」。

このように、この美術評論家はゴッホの心の中で、小説と聖書に登場する性格の異なる2つの楽園幻想が、激しく内面に波紋をひきおこしていたと指摘する。光に満ち甘き香りにみちた楽園（パラドゥー）にあこがれそれを描きたいと願望しつつ、その反面、イエスが血を吐くようにして祈りをあげたゲッセマネの園こそ信仰者の希求すべきものとあると心は激しく揺れていたという。

エデンの園追放後、人間は額に汗して働き、土地を耕作し、掘る人として生きることを負わされてゆくことになる。それが、〈掘る人〉の図像の〈意味素〉であるとのべているのだ。

つまり、宗教的意味素から、ゾラの小説『ムーレ神父の罪』や聖書物語を新しく解釈しているわけだ。圀府寺司は、図像精査を緻密にして〈掘る人〉のテーマは、ミレーの「種蒔く人」の模写もふくめて80点を上回ると指摘するのだ。

実は、ゾラの小説世界をテクストにしつつ、新らしく解釈をつくりだす圀府寺司の論づくりには、なにかひかれるものがある。これまでなぜアルルに行ったのか、さらにゴッホとアルルの関係は、ゴッホが熱烈な浮世絵愛好家であり日本の光、日本への憧憬との観点でほぼ論じられることが多かった。私自身もそれだけではなにかしっくりこなかった。みんなそこにとどまっていた。なぜあんなにも「黄色い家」という共同体の場（ユートピア）に執念を燃やしたのかも判然としなかった。従来のどんな説も完全にはストンと落ちるものに欠けていた。

このゾラの小説の存在をしらされ、立ちこめていた霧が少しはれてきた。実際に、小説の第二部には向日葵が描かれ、ムーレ神父の傍らはヴァンサンという名の侍僧がおり、さらに興味ぶかいことに無神論者ジャンベルナが登場し、同じ住人のアルシャンジアと争い耳をきり落すと脅迫し、実際にアルビーヌの葬儀のあとには、耳をきり落したという。

この小説の、すべてがゴッホの人生観に影響を与えたとはいえないが、いくつかの類似性はなんとも興味ぶかいではないか。

圀府寺司は、「ゾラの想像力が創り出したセルジュ・ムーレという人物、小説の設定上ファン・ゴッホより12歳年上の人物は、まるでファン・ゴッホの生き方の予徴のようでさえある」とまでのべている。

さらにゾラの小説の主題とゴッホとの類似にとどまらず、「星月夜」にみられる幻覚は、セルジュ・ムーレとのそれとも同一のものであり、そこには19世紀において根源的な主題となっていた。宗教と自然との葛藤という主題にも抵触してくるという。

この新しい視点は、今後の研究により実証（検証）化されていくのであろう。とかく美術展というと、作品との出会いに終始してしまうことが多いが、展覧会を介してこうして新しい視点で書かれた論文と出会うこともうひとつの楽しみである。あまりに専門的な図像解釈学の迷路に入りこんでしまうのもこまるが、一般の愛好者にもこうした視点を与えていくことは、作品理解をする上でもこれからますます大切なことになるだろう。

最近増えている学芸員によるギャラリー・トークも、専門的知識の平準化をめざしつつさらに作品を多面的に理解する手伝いを目指していくことになるだろう。こうした観点からも、大きな根源的《ラジカル》な問題提起をした論文であることはまちがいのない所であろう。

★オランダ時代の作品群

さて本題の展覧会の内容について、語っておきたい。

70数点が、大きく三部構成になっていた。ひとつは、初期オランダ時代のデッサン、水彩画類。ひとつは、印象派の洗礼をうけ色彩が豊かになるパリ時代の作品。そして晩期アルルでの生活と死をむかえたオーヴェール＝シュル＝オワーズに大きく区切ることができた。

特に印象ぶかいのは、初期の作品群である。ベルギーの炭鉱地帯ボリナージュ、エッテン時代、ハーグ時代、ニューネン時代の諸作は、眼から鱗がおちるほどの衝撃を与えてくれる。

こうした初期作品を見ずしてゴッホを理解していたとしたらそれは痛恨の間違いを犯しているのではないかと……。なぜなら黒チョーク、鉛筆、水彩をつかったモノクロによる作画は、実に的確な筆致を保ち、対象たる人物や風景を捉えているからである。すぐれた素描家、風景画家の実像がそこにはある。「運河沿いの風車」（１８８１）や「ドールトレヒト」（１８８１）にみられる故郷の風景をみつめる眼差。さらに、彼は水彩をつかい色を加味した豊かな表情を追及している。

さらに「縫い物をする女」（１８８１）などにみられる硬質なしかし良質なデッサン力と対象の内面まで迫る静かな描写。「大工の仕事場と洗濯場」（１８８２）にみられる高い位置からとらえられた確固たる遠近法描写と線の適確さ。あるいは「砂地の木の根」（１８８２）にみられるタッチの自在さ。

こうした対象の再現と同時に、とても激しい内面を凝視する作品も誕生してくる。この時期の色彩は、重くどっしりとしている。

でも、決して悲劇的ではない。ゴッホの眼は、ペシミスティックな表情を湛える〈老いた労働者は何とすばらしいものだろう〉と賛美の声さえあげているのだ。苦悩し、絶望する人物像は、同棲したシーレの裸のデッサンにも継承されていくが、ゴッホは、画家の眼のほかにこうした貧しく、うちひしがれた人物に、まちがいなく神の憐憫をそそごうとしているようだ。

こうした敬虔な宗教的な感情が、こうした〈悲しみ〉を主題にした作品に脈動している。憐憫の感情を喚起させる筆。重い人生に耐えかねてうなだれる老人。厳格なカルヴィン派の牧師の家に育ったゴッホ。伝道師の卵として貧しいながらも必死に生きてゆく人々に〈神の子〉をみようとしたゴッホ。ミレーに熱烈に共感をよせたゴッホ。

この時代のゴッホの魂は、純粋でまじり気がない。その魂はなんと美しいことか！

私はこうみている。こうした黒く、重い線は、ゴッホの真摯な魂の独白でもあるのだ。

そして、実際〈掘る人〉の図像に注目してみていくと、この展覧会出品作にも、それが結構多いのにおどろかされた。たとえばこうだ。「じゃがいもを掘る2人の農婦」（1985）、墓地の土を掘る人が登場する「雨の墓地」（1886）、「種まく人（ミレーによる）」（1890）のバックには、〈耕す人〉が登場しているではないか。

そこには、もちろんミレーへの賛美の声が横たわっているが、〈蒔く〉〈耕作する〉〈刈りとる〉という主題を包含していけば、結構な数になる。そこには、土を耕作することこそ、人間にとって最も大切なことであるという思想があることに気付かされるのだ。土こそ共生の思想の師であると、宣言しているようでもある。

アルルでも「種まく人」を、燦々と輝く黄色い太陽の下で描いているが、それは、ゴッホにとっては、先にのべた2つの楽園の統合世界、真の地上における楽園を現出させることであったのかもしれない。

この視点でみなおしてみると、〈アルルという場〉の意味は、全く新しくみえてこないだろうか。

それはもうひとつの楽園、つまり芸術家との共同生活というユートピア的楽園の挫折は、「エデンの園」からの追放を意味していたのではないのか。とすれば、ゴッホは人生において、2つの楽園のを喪失してしまったことになる。

それゆえ、こういえるのではないか。ゴッホの自殺は、地上からの放逐者、つまり〈土を掘る〉ことができなくなった人間の末路を予言しているのかも知れないのだ。

［アートコラム２　デ・ステイルのデザイン］

★デザインの誕生

最近とみに、私は欧州統合の関係でネーデルランド文化圏、つまりオランダやベルギーについて関心を抱いている。

１９９７年に、その文化圏を旅行してみて、その特異な文化風土により一層興味をふかめている。特に、カトリック文化圏のベルギーからは、ヴィクトール・オルタなどのアール・ヌーヴォー芸術が誕生しているのに対して、プロテスタント国家オランダからは、ピート・モンドリアンなどの抽象画家や前衛運動が萌芽しているのは、その両国の宗教性や気候風土や歴史性などの差異が複雑に絡みあい、とても興味ぶかかった。

実際にアムステルダムにある、ゴッホの油彩２００点、素描５５０点を所蔵するゴッホ美術館をみて、その現代的設計に感銘をうけた。この建築物は、ヘリット・リートフェルト〔Gerrit Thomas Rietveld〕による。１９６３年に、ウィレム・ファン・ゴッホがこのリートフェルトに建築を依頼したが、この建築家は、「デ・ステイル」の代表的メンバーである。

この建築には、採光面などでは、フランク・ロイド・ライトのグッゲンハイム美術館や、ル・コルビジェの弟子がつくったル・アーブル文化省の建物が影響を与えているときく。

リートフェルトは亡くなり、最終案はファン・トゥリヒトに引き継がれていった。当初計画では、灰白色の上薬をかけた煉瓦と茶灰色の琺琅鉄板を使う予定であったという。結果的には、自然石が使用され、採光も工夫されとても見やすい空間を提示している。

このオランダから今世紀初頭に世界に発信したのが、「デ・ステイル」〔De Stijl〕という運動体である。日本における初の展覧会がようやく開催された。『デ・ステイル　１９１７－１９３２』展（東京・セゾン美術館）は、日本とオランダの交流４００周年の一環として開催された。

サブタイトルとして〈20世紀モダニズムの起源─オランダ新造形主義の美術と建築〉とあった。絵画、彫刻、家具、建築図面、資料など出品数２５０点という大規模なものとなった。

「デ・ステイル」とは、芸術と生活との融合をめざした総合運動である。「様式」の意味をもっている。主導者ドゥーズブルフは15年間つづけて雑誌「デ・ステイル」を発刊し、この運動をけん引し世界的地平へと高めていった。

ドゥーズブルフは、当初そのものずばりの「直線」という名称を考えていたようだが、「デ・ステイル」とした。この雑誌は、最初は、月1回のペースで発行したというから、その発熱した意識がうかがえる。この雑誌に発表したもので一番有名なのはやはりモンドリアンの「絵画における新造形主義」の論文であり、彼らの宣言文に相当するといえる。

さて、このドゥーズブルフを調べてみると、なかなかのプロパガンダ精神の持ち主であったことが分かる。ヨーロッパ中を東奔西走しながら各地の前衛運動やその中心人物達と出会い交流している。

ドイツでは、建築家ブルーノ・タウトやグロピウスと出会い、「バウハウス」になぐり込みをして反発をうけている。しかしそれに負けずに独自に自説を訴えている。また、第一次世界大戦の渦中にチューリッヒなどで誕生したダダの運動にも参入し、ベルリンでは、ホモリ・ナジなどとも交流している。

今回のカタログ収録論文において、エバート・ファン・ストラーテン（クレラー＝ミュラー美術館長）は、「最晩年のドゥースブルフは、飽くことなく衝動的に、病的なほど熱狂的であり、自己犠牲的人格であった。また同時に、闘争的で破壊的でもあった。そして策略家でもあった。それらのすべての性質が芸術と生に関する新しい概念を確立するための探究へと開拓されていった。その目的に到達するために、彼は雑誌を発刊し、芸術家の組織を造り、講演し、プロパガンダの旅行を行い、論文を書き、周りに人々を集め、国際的なネットワークを維持し、そしてそれらに加えて芸術作品をも作ったのである」と特異な性格を紹介している。ただその分、独断的にならざるをえなかったようだ。途中での脱落、離脱者もおおいのも事実である。

ヨーロッパを席巻した破壊的なダダの運動にも興味を持っている者として、この「デ・ステイル」の運動をみてみて、強く感じたことは、ひとつは第一次世界大戦という未曾有の事件と直面して誕生しているという事実である。「デ・ステイル」に載せた宣言には、「戦争は旧世界とそれが意味したすべてのものを破壊している。すなわちあらゆる意味における個人的支配」を目論んでいる。だからこそわれわれは「伝統やドグマ、個人という障害を排除して、生活、芸術、文化の革新」をめざさなければならないと。それほどまでに戦争という現実と向いあっているのだ。戦場では、人間が棒切れのように死んでいく状況に絶望するのではなく、だからこそ新しい芸術をつくり出すことでみずからの生きることの意味を確実なものとしようとする。この切羽つまった緊迫感こそ、かれらの芸術創造のエートス（倫理的心性）であったのだ。

ひるがえって21世紀の現代の状況をみて感じることは、なんと骨太のかつ壮大な精神の持ち主がいなくなったかということだ。デザインという言葉が、矮小化されている昨今であるが、近代デザインの先駆者たるドゥースブルフの理論が、バスハウスで応用され、現実化していったことを振り返ってみるとき、この人の再評価は今こそ必要なのかもしれない。

ここで、国家とデザインの関係について、少々のべておきたい。

20世紀の終わりに近づくとやはりこの世紀とは、どんな時代であったか総監したくなった。最近流行りの都市と人間の観点で考察してみれば、20世紀の大きな特質は、〈芸術の生活化〉が進んだことにある。芸術の生活化（応用化）、つまりデザイン化がそれが建築、都市環境、家具、日常品に至る全分野に渡っていることだ。ただ、国家とデザインとの関係を考える時、ナチス・ドイツのファシズム戦略を忘れるわけにはいかない。個人の尊厳と人権と自由が抑圧されたこともいま一度おもいおこすことは無益なことではないはずだ。

というのも、私は１９９８年に開催された長野冬期オリンピックの開会、閉会式のセレモニーを見ていてある種の危険なものを感じたからだ。全体の構想デザインには、文化紹介をこえたある意図を感じた。日本人の国家意識高揚を推進しているこのデザイン・コンセプトは、日本古来の宗教儀礼、特に神道（装束も含めて）にもとずく習俗の賛美でありそれを無意識的に日本人の心の中に刷り込むことではなかったか？各地の祭などを再現することで、華やかにかつ動的に演出しているのだが……。

それが衛星放送により全世界へ日本古来の習俗を宣伝することで、私達は知らず知らずの内にみずからのアンデンティティを喪失させられ、国家の都合のいい方向へ文化意識が管理させられていないだろうか。これは、恐ろしい位にナチス・ドイツが行った国民意識形成のデザイン戦略に酷似していないだろうか。それをおもうと背筋がおもわず寒くなった。今、私が危惧したことは「デ・スティル」と関係なくみえるが、彼らの提起したものは、国家意識に束縛されない個人の自由の宣言であった。デザインの基点をしっかり押さえつつ、人間のための、自由のためのものであることを再度認識すべきであろう。

さらにもう一つ危惧していることがある。現代のデザインは、かなり子細かつ私的なものに変形させられていないだろうか。矮小化された思想を排し、なによりも人間のための、知性に根ざしたデザインであるかしっかりと吟味して構築すべきなのではないだろうか。

★精神の自由

日本人のように無宗教があたりまえの人種には、少し理解に苦しむところがあるかもしれないが、このオランダという国は、プロテスタント国家であり、元をたどるとその中でも極めて禁欲的なカルバン派国家である。

偶像を廃する強い精神性は、一方で進取を好む国民性を生み出した。また、風土といえば水・海面より低い国土に築いた人工都市であるがゆえ常に不安定をのりこえる果敢な意識もつくり出していった。

こうした自然環境と歴史性により育まれた禁欲主義が精神の骨格となり、さまざまな新規な芸術を創造するエネルギーとなったようだ。絵画では、モンドリアンの抽象絵画を生み出し、建築の上では、斬新なデザイン建築をうみだした。その一例をあげてみよう。１９２４年ユトレヒトに建造されたリートフェルトの設計であるシュローダー邸がある。現代建築の記念碑ともいえる作品である。外壁は、白とグレーのみ。水平と垂直のリズムを基調にしている。構成主義と異なるのは、独自な空間を造りだした。家の構造の一部であった壁を可動式にしたことだ。さらに、その壁色を斬新に抽象化した。

進取の精神にみちたこの都市は、さらに20世紀芸術の牽引的役割を果たした。戦後には、第二次世界大戦中のレジスタンス運動の流れにそいつつ、「コブラ」という絵画グループの拠点ともなった。

あまり聞きなれない言葉かも知れないが、コブラ〔CoBrA〕とは、コペンハーゲン、ブリュッセル、アムステルダムの３都市の頭文字をあわせたもの。

また、１９６０年代には、オランダを拠点とした反体制運動「プロヴォ」が誕生した。オランダの「プロヴォ」は、その名の様に政府や国家に対する抗議運動をかなり直接的に実行していた。〈挑発〉や〈異議あり〉の行動様式は、世界的な反核グループのグリーン・ピースなどに継承されているようだ。

運河に囲まれたアムステルダムは、いまなお赤線地帯をかかえこむ不思議な都市でありつつ、なかなか活気のある過激都市でもある。

『デ・ステイル』に記載された次の言説は、なんと〈不滅の塔〉であることであろうか。

「知的作品の応用は、新しいものの豊潤よりも、その堕落―デカダンスと物質主義へと続く堕落を招く。芸術の造形は、精神にとってのみ有用なものであり、だからこそ創造的な精神の法則によってのみ支配される」。知的なものの限界とひとりよがりを戒めつつ、〈精神にとってのみ有用なもの〉を追求せよと提起する。

なかなか含蓄のある言葉ではないだろうか。

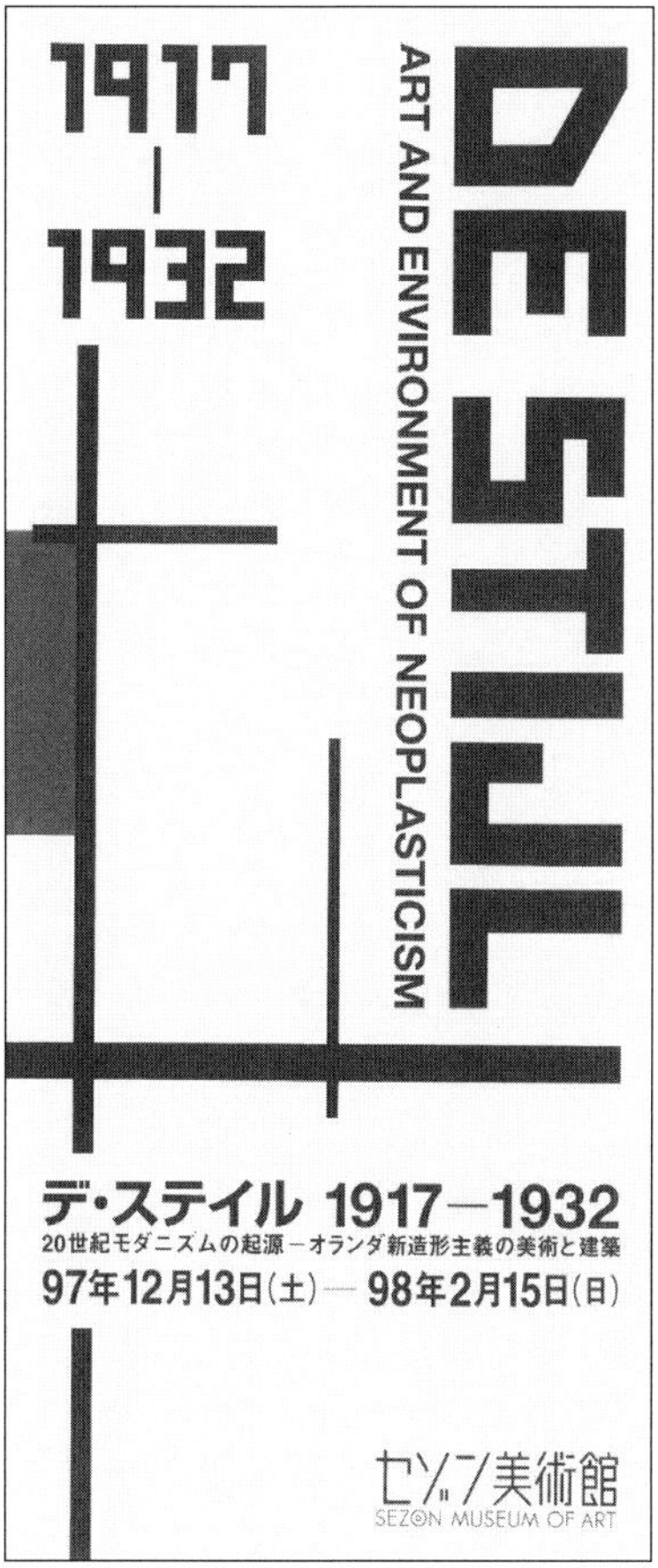

「DE STIJL」展（セゾン美術館）パンフレット

※初出『21ACT』（No.56号・時計台ギャラリー・1998）

【アートコラム3　ヤン・トーロップ】

オランダのアール・ヌーヴォーの代表者ヤン・トーロップ（Jan Toorop）の展覧会が東京都庭園美術館で開催された。この画家はジャワ島の出身者。9歳までスマトラ島に近い島で育った。その後オランダへ渡りデルフトやアムステルダムの美術学校で学んでいる。その後ブリュッセルで活動し、反サロンの「20人展」にも参加した。絵のスタイルは変化し、1890年以後、象徴主義の色をつよめた。

場所が最高だった。これ以上のトーロップの作品を展示するに当って最適な場はここ以外はあるまい。西洋館の風情、それもアール・デコスタイルのガラスが部屋全体を飾る「旧朝香宮邸」である。身も心もアール・ヌーヴォーの世界にタイムスリップすることができた。

「おお死よ、汝の勝ちは何処にあるか」（62×76㎝）が、うすぐもりの不透明のガラスが四面を飾る部屋に正面を向いてたたずんだ。その曲線の自在な様式美が画面全体に生きづいている。樹さえも曲がり、妖艶な死神の髪も下半身も怪奇性をかもし出している。このテーマは聖書にある有名なキリストの復活を予言するものである。キリストは、死さえにも勝利したという。キリスト教教理でも最も大切な部分である。画面が誘う幻想世界へ再び視線を戻してみる。近代人トーロップは〈死の棺〉をおさめてある墓地を、グラフィックに書きこんでいる。地面にぽっかりと口を開く黒い穴は、左程不気味さを漂わせてはいない。

もう一つのトーロップの代表作「宿命論」の舞台は、墓地である。鉛筆の細い線を基調にしているが、死の芳香はより濃くなる。その芳香をより増しくわえるのは、死神やそれにつき従うかのような女達の行列群である。それにしても無気味な絵だ。線など流線型であるが全体の印象は非西欧の美がからんでいるようにみえる。そこが他の象徴主義の画家とは全く異質である。この異様さにはアジア的なものが蔦のようにからんでいるのだ。

死の芳香といえば、これ程プンプンとにおいを放つ作品も少ないだろう。死の芳香にとりつかれた作家群を美術史上で探すと、すぐにプレ・ラファエロ派をおもいうかべるはずである。ベルギーやイギリスのプレ・ラファエロ派の死のにおいは、象徴主義の一つのテーマである〈水〉という物質と切り離すことはできない。たとえばロセッティの〈オフェーリア〉などは、神秘な物質〈水〉に体をうかべて死んでおり、まだそこには甘美な眠りがあった。しかし「宿命論」に登場する女達は、甘美なかおりはすっかり消し去られている。戯画の味つけ、その濃度が強まっているように感じられる。細長くひきのばされた肢体は、とてもグラフィックである。しかしその女達の眼は、虚ろに宙をさまようのである。それは、不気味な眼の行列でさえある。プレ・ラファエロ派の虚ろな眼は、もう一つの別世界を夢みていたが、トーロップは、それとは異なる世紀末の妖気をたっぷりと帯びさせた眼を登場させているのである。何かこの妖気は、日本の幽霊が発するものに似ていないだろうか。長い髪への偏愛。版画のような構図の大胆さ。空間の間のとり方など。それらは日本の浮世絵を感じさせるものさえある。この場合浮世絵を〈陽〉とすれば、当然にもトーロップのは〈陰〉といえようか。〈陰〉とはポジに対する〈ネガ〉でもあり、精神のレベルでも〈陰〉といえる。そこには、聖書世界の世紀末的解釈が姿をかえて影をおとしているようだ。中世以来の「死を想え」（メメント・モリ）のテーマがさらに重層化され、アール・ヌーヴォーの極めて装飾性の強い美的様式と融合（フュージョン）しながら、他の画家がもちえなかった特有の新奇さをかもし出しているのである。

それと同時に、アール・ヌーヴォーと呼ばれる美的革新をめざしたムーブメントは、決して単一のものではなく、各国ごとにその装いが異なっていったのだ。つまりその国の文化伝統と歴史的地層の上に立って独自に開花するものであることを如実に実証してくれるのである。

ちょうどアントニ・ガウディ建築をこのアール・ヌーヴォー様式と呼んではいけないように、ガウディのスタイルは〈モデルニスマ〉といわれるバルセロナに於ける政治・経済上の変革という社会的運動と深くつらなる〈近代主義〉と等価であり決して〈新様式〉という名称だけで語ることができないのだ。

オランダのそれは、ベルギーの新しい芸術運動の影響の下に発展していったようだ。そのためベルギーの〈新芸術運動〉に触れないで、語ることは不十分になるのだ。

ベルギーの新しい運動母体は、フランスの印象派などのグループとの交友を通して、形成されていた。ヨーロッパにおける美術のムーブメントは、つねに国境をこえて交わりを深めつつ、その上で各国毎に独自なスタイルを見出していったようだ。

Ⅲ．プラハ美術紀行

プラハ―ユダヤ人の会堂ピンカス・シナゴーグ
（ナチス・ドイツに抵抗して殺された方々の名が壁に）＊

1　プラハ〔PRAHA〕──中欧の真珠

ボヘミヤの華

プラハ。それは私の記憶の中では幾分悲嘆の声に彩られた街の名であった。フランツ・カフカの生まれた場所。それだけで、ひとつの特異な場の雰囲気をすでに醸しだしてくるではないか。ましてや「プラハの春」〔Pražské jaro〕という言葉をきくだけでプラハ市民の対ソ連に対する抵抗の声（自由を求める）が聞こえてくるではないか。

プラハ。それは中欧の一都市というよりも、すばらしいボヘミヤ文化が開花した土地であることが、この場を訪れ、ひとたび高い丘にたたずめばそれを無言で実感できる。豊かなヴルタヴァ〔Vltava〕川の流れ。澄んだ空気。黒ずんだ街と眼にあざやかに新装された街並み。さまざまなものが混合されつつ、名シェフが造る料理のように、絶妙の味つけで溶け込んでいる。

プラハ。それは石畳の街だ。照り光る石畳。古の歴史の音をひびかせる擦り減った石畳。だがそれがつづくと足がかなりつかれてしまう。ましてや、坂道の多い街だ。２日間も歩きつづけると、もう足が悲鳴をあげてしまった。革靴を履いてきたのがまちがいなのだが、しかたがないので靴を脱いで歩いた。石の感触とともにこの街の固有性が足裏からつたわってくるかのようだった。なんと結構裸足の方が楽だった。

古都のたたずまいを残すためには、強い行政指導が必要なようだ。様々な試みがなされている。中心部への観光バスなどの乗り入れ禁止もそのひとつ。そのため、私達はひたすら歩くことを強いられるのだが。市民の足は、基本的に路面電車や地下鉄やバスのようだ。そのためか排気ガスが少ないのがわかる。日本にもどり、他の都市よりは空気がきれいなはずの札幌でも、それと比較すると空気の汚染はかなりすすんでいることに気づかされた。都市計画と都市の再生。古都と現代文化の共立。そんなひとつの手本がここにあるようだ。自由化といくぶん商業主義のにおいを感じたのが路面電車のデザイン。イタリアの「ベネトン」カラーに飾られ、企業宣伝がおりこまれている。でも古い町並みにそれなりにマッチしている。

プラハと日本。普段はほとんど意識したことはなかったが、その間柄の深さにきづかされたことが2、3ある。広島の原爆ドーム、つまり広島県物産陳列館を設計した建築家がチェコ人のヤン・レッツェル〔Jan Letzel〕。生れはボヘミアのナーホト生まれ。明治末期から大正にかけて主に日本で活躍した建築家だ。一部の本には、彼はオーストリア人となっているが、生粋のチェコ人である。観光遊覧船での観光が超人気をあびているヴァルタヴァ川のほとりに、原爆ドームと同型の建物を発見した。「あ、あれは、どこかでみたことがある」と声をあげたくなった。またプラハには彼が外装の装飾デザインを手がけたホテル・ヨーロッパがある。

チェコ語と日本語。なんの関係がないようにみえるが、ガイド役をつとめてくれた現地で日本語を教えている東原清介さんにいわせると、日本人がチェコ語をならうと、結構上達が早いという。その理由には、チェコ語には日本語のように、キャ、キュ、キョ、ピャ、ピュ、ピョなどの撥音や促音などがおおく習う時に有利だそうだ。実際に、日本人は欧米人より上達が早いとほめられるという。

このチェコ語。片言でも話せるようにと、旅行ガイドブック『地球の歩き方』などを参考にしつつ、ウィーンからプラハの旧・ルズィニュ国際空港に着くまでの間、プロペラ機内で急ごしらえの練習した。

いまプロペラ機とのべたが、まさしくあのプロペラの付いた飛行機であった。空港に何機かのプロペラ機があったが、それは気象観測か保安用のものであると勝手におもっていた。しかしバスが着いて乗るのを指示されたのは、真新しいプロペラ機であった。めったにない思い出にのこるフライトとなった。乗る前に記念写真をとった。

飛行機ということでは、オーストリアの空港でみたひとつの機体のデザインは、建国1000年を記念したものだった。日本でも、ディズニーのキャラクターなどを描いているが、ここにあったのは全てがオーストリアに関係するもの。フロイト、マーラー、ヨーゼフ2世ありと、歴史上の人物や著名人の顔が所狭しとデザインされていた。

さてまずおぼえたのが、「はい」と「いいえ」。はいが、「アノ」。いいえが、「ネ」。これなら「アノネ」ですぐ覚えられる。「こんにちわ」は、「ドブリーデン」。「ありがとう」は、「茄子くれたの」で覚えた。つまり「ナスクレタノ」。みんなでこれを覚え、ホテルやレストランでさっそく応用実践した。東原清介さんがチェコ語で話すと、「みんな笑顔で答えてくれますよ」と、チェコ人の人なつこさを強調していたが、実際にそうだった。少々はにかみながらであったが笑顔を返してくれた。ロビーでも、売店でもその応用練習をつづけた。

当時はこの地へは、〈ビザ〉が必要となっていた。韓国の方が先に〈ビザなし〉となったという。日本企業では電機メーカーや各自動車会社を中心に進出している。〈ビザなし〉となると両国関係はより緊密になるのだが…。

プラハの全体行程を最初に記載しておきたい。そして紀行文を意識しつつも文化の特質などにもふれつつ、後半では個別の主題をみつけながら語ることにする。

1996年8月7日(水)

ホテル出発(7：30)─オーストリア空港OS─643便でプラハに(10：05─11：07)─昼食Zlatá Praha(12：15─13：30)─プラハ城見学─ベルベデーレ宮殿─聖ヴィート大聖堂─王宮─聖イジー教会─黄金の小路─ロレッタ教会─ノヴィー・スヴェト「新世界の通り」─ホテル到着(17：45)─ボヘミヤ・クリスタル・EGERMANN EXBOR─夕食PERMIERA(19：00)─ホテル・エスプラナーデ〔Esplanade Hotel・ワシントンノヴァ通り〕へ

8月8日(木)

ホテル出発(9：00)─聖ストラホフ教会・修道院(9：30─10：00)─ナショナルギャラリー(11：10─12：20)─昼食ALex(13：15─14：30)ヴァルトシュテイン宮殿(14：50─15：00)聖ミクラーシュ教会(15：00─15：35)─カレル橋散歩(16：00─16：35)─旧市街広場(16：45─17：15)─ヤン・フス像─ユダヤ人街・旧新シナゴーグ・ユダヤ人墓地など(17：35─18：05)─夕食レストラン・ペンギン(18：45─20：25)─ホテルへ

2　プラハの息吹き——いくつかの教会など

プラハ城〔Pražský hrad〕

行程は、失にのべた通りだが、このプランは、実際にかなり事前に資料をあつめ練りに練ったプランとした。東原さんからとてもいいと褒められた。余裕があり贅沢だともいわれた。

最初に訪れたのが、「プラハ城」の周辺地区。ヴァルタヴァ川の西岸にある「フラッチャニの丘」〔Hradčany〕にある城。街中からも必ず見える威厳のある城だ。代々の王の居所であったが、カレル4世の時代にほぼ全容が完成した。

この城へのアプローチには、2日間別々のルートをとった。一日目は、火薬門橋とパカッスィ門から入り、カレル庭園・王立庭園を通った。2日目は、フラッチャニ広場の方から入った。

このカレル庭園は、幾何学的庭園となりバラ園もある。その庭園にはジュー・ド・ポームがあり、建物全体はルネサンス様式で建てられているが、ファサードは〈学問〉〈美徳〉〈地上の力〉などを〈スグラフィト〉技法を使って飾られている。この宮殿は、この時は展覧会場となっており東欧の現代美術展が開催されていた。時間がないのでカタログだけを購入した。

途中でみた庭は、この城内には大統領府もあるためであろうか、警備員がものものしく管理していた。ものものしさとは対比的に現代彫刻が展示されてあった。ユニークな形態の抽象彫刻だった。二体が並び、それぞれが男女をシンボル的に表現しているという。警備の青年門兵が瞬きひとつせずに直立している。この制服のデザインは、デザイナーのピーセックによるもの。このデザイナーは、ミロス・フォアマン監督の映画「アマデウス」のコスチューム・デザインを担当している。

さて中庭から門をくぐると、急に目の前に広がるのが聖ヴィート大聖堂〔Katedrála svatého Víta〕。ドーンと重厚な音をたてて聳えている。一瞬息をのむほどの威厳と崇高さがある。黒ずんだ外観が、威圧感をあたえてくる。

この教会の歴史はとても古い。最初は９３０年に造られたロマネスク様式の円形のロトゥンダであった。現在は２本の塔がたつゴシック様式だが、完成には20世紀までかかった。１３４４年に起工してから６００年近く経過しているので、さまざまな様式が混在している。内部空間は奥行が１２４ｍ、幅が60ｍ、高さは36ｍ。ここの教会はうしろ部分は自由にみれるが、前部の宝物殿の性格のあるところは有料となっている。

教会内には21の礼拝堂がある。「聖ヴァーツラフ礼拝堂」は、１３６２年より67年にかけて建造され、壁面にはキリスト受難像と、〈聖ヴァーツラフ像〉が描かれている。壁面は、１３７２個もの宝石で飾られている。まず驚くのはステンドガラスがつくり出す色彩美だ。ボヘミヤ風とでもいうのか、今まで見てきた西ヨーロッパ風の色彩美とは決定的に異なっていた。色彩が強烈なのだ。赤、橙、黄などがつよく自己主張している。ボヘミヤガラスの色彩美であろうか。どこか油絵の感覚さえ感じたほどだ。

このステンドで最大の見所は、主祭壇にむかって入口から左から３枚目の作品はアルフォンス・ムーハ

〔Alfons Mucha 仏語ではアルフォンス・ミュシャ〕（１８６０－１９３９）のデザインであること。その「聖キリルと聖メトディウス」は、１９３１年に制作されたもの。この年には、この画家はチェコスロバキアの50コルナ紙幣のデザインもしている。

この画家は、アール・ヌーヴォーを代表する美術家とか、フランスの舞台女優サラ・ベルナールのポスター画作家として知名度がたかいが、それはあくまで一面にすぎない。美術世界では、作曲家ベドジフ・スメタナ〔Bedřich Smetana〕に相当する位置をしめており、この地においてはむしろ民族の魂と独立をうたいあげた国民的美術家である。このステンドガラスの主題もチェコの歴史を描きだしている。スメタナといえば、市民会館２階にはコンサート・ホールがあり、「スメタナ・ホール」と呼ばれている。ムーハは、この会館の市長サロンの装飾を担当している。この会館は現在修復中で残念ながらみることはできなかった。

ムーハは、人生後半には、「私は芸術のための芸術を作るよりも、大衆のための絵の制作者になりたい」と、華やかなパリを離れチェコに帰り壮大な国民絵画をつくりだした。その集大成が１９１０年から１９２８年にかけて制作された20点からなる「スラブ叙事詩」〔Slovanská epopej〕である。壮大なもので一点が〈６×８ｍ〉になる。

チェコや実際にポーランドやロシアを旅行し、スラブの源泉を辿りつつスラブ民族の歴史を研究した。その取材から「原故郷のスラブ民族」「ロシアにおける農奴制廃止」などスラブ民族を主題にしたものが10点。「プシェミスル・オタカル２世」「ベトレヘム教会で説教するヤン・フス」などが10点ある。つまり全ての魂をこめて「民族の叙事詩」をたからかに歌い上げた。

この作品制作の動機は、アメリカのボストンに滞在中にボストン交響楽団が演奏するスメタナの交響詩「わが祖国」を聴いたときという。アメリカで聴いたスメタナの音は、しばらく眠っていた彼のスラブ民族の魂を一気に目覚めさせたわけだ。

この大作のためなんと、一日に14時間を費やして制作に没頭した。しかしこれらの作品は、当時のプラハでは「キュビスム」などの前衛芸術が隆盛しており、もはや時代遅れとしてみられ評価は低かったという。この諸作は、一時、モラヴィアリ州の「モラフスキー・クルムロフ城」に展示されていた。

旧王宮内には「ヴラディスラフ・ホール」がある。建築家ベルディクト・リードが設計したもの。建築的にとても重要な場所である。特に天井の梁。それが肋骨状になっている。それが植物のように有機的に交差している。後期ゴシック様式による。この場所は、戴冠式や騎馬による馬上試合などの公的行事が行なわれる場になったという。また大統領選挙もおこなわれているという。

聖イジー聖堂〔Bazilika svatého Jiří〕には、「聖イジー修道院」があり、そこはゴシックからバロックまでの作品を展示する美術館となっているが、どう調整しても残念ながら時間がないので割愛した。この「聖イジー教会」は、天井には木がはりめぐらされている。後陣には、美しいバロック式の階段があり、そこを上っていくと丸い天井に剥落した絵をみることができる。

チェコを訪れてみて、プラハが予想に反して一大観光地になっていることを知られた。この城の界隈は、東京の渋谷か新宿かという賑わいぶりだった。あまりの人に疲れて城内の野外キャフェで一息をいれた。

イシュスカー通りを下がり、ウ・ダリボルキとよばれる抜け道を曲がると、「黄金の小路」〔Zlatá ulička〕（ズラター・ウリチュカ）に出た。ロドルフ2世の治下には、魔術的科学が隆盛し、この地には18世紀以降、錬金術師たちがおおく住み、その名がつけられた。

この通りにフランツ・カフカが１９１６年11月から翌年5月までの約半年間仕事場とした家がのこされている。一階だけの長屋風の家がつづく。いまはこの長屋一帯は、現在観光品売り場と化している。私も数軒をのぞき、とても美しいデザインで飾られたイースター卵や、数枚の記念葉書を買った。

この地には、古くから人形劇の伝統がある。街のいたるところで人形がうりに出されていた。さまざまな姿をした人形が店先にならべられていた。それだけで、〈幻想のプラハ〉にふさわしい風情がかもし出されてくる。

人形劇の歴史は17世紀からはじまる。人形使いは、現在も各地を転々として民衆の娯楽を提供しているという。少々調べてみた。12体がユニットとなっている。6人の男、3人の女、道化、悪魔、死体の合計12体となる。それらを操りドラマを演じていくわけだ。さまざまな実作者も登場し、オリジナルな作品を発表したが、そのなかでもヤン・ネポムツキー・ラシュトフカがもっとも有名である。大衆の娯楽というよりもひとつの芸術として認知されているらしく、アカデミーにもそれを学ぶ学科コースがあるという。

ロレッタ教会〔Loreta〕

さらに、下にプラハ市内を一望しつつ、観光客目当ての店が両脇にならぶ坂をすこしづつくだった。広い場所に出た。それが「ロレッタ広場」である。この場所には、「チェルニン宮殿」がある。正面には30の円柱がならんでいる。ダイヤモンドのトンガった形の積彫石で飾られた基礎の上に建っていた。

この建物そのものが、幾多の変遷をたどっている。ナポレオン戦争の時には、病院に改造され、今世紀にはナチス・ドイツの保護領の本部となった。さらに戦後になり共産党政権が誕生するが、その時には政治抗争の場ともなった。

プラハでは、政争に絡んでよく人が窓からなげだされる事件がとてもおおいという。1948年のことだが初代の共和国大統領、後のゴットワルト内閣の外務大臣ヤン・マサリックの死体が窓の外にあったという。自殺か単なる事故か、いまだに判然としないという。日本では、政治家が窓から放り出されたという事件はきかない。プラハの建物には窓が多いのでこんな事件がおおくおこるのであろうか。ちょっと考えられないことだがこんなにも多いと単なる偶然とはいえないだろう。これはまさに〈プラハの謎〉のひとつだ。

「ロレッタ教会」とは、なにか響きのいい名前である。それもそのはずイタリアの地名からきている。旅行を立案したときからプラハに行ったおりには、ぜひともこの教会を実見してみたいと心を躍動させていたが、想像したよりもすばらしいものであった。どうして想像したよりすばらしいと感じたのであろうか。ひとつにはこの辺の風情が最高であったことが起因しているようだ。

〈ノヴィ・スヴェト〉〔Nový Svět〕―新世界通りが、この教会の坂からつづいている。そこをそぞろ歩きしてみて、とても印象ぶかいものがあった。さすがに観光客もここには足をはこばないらしく、実に静かだった。路地をあるくと、時間があたかも完全停止したような気がしてくる。古い納屋。廃屋。一隅に〈気のふれた画家〉がすむという不思議な家もあった。ちょっとのぞいてみた。北欧の画家ムンクよりもこわそうな絵が窓からみえていた。

この古い街の情景を利用して、映画「アマデウス」の撮影がなされたという。一部のガイドブックなどにはドヴォジャーク〔Antonín Leopold Dvořák〕が交響曲第9番「新世界から」を構想した場でもあるといわれているのだが疑問がある。なぜなら実際にはドヴォジャークはこの交響曲を、新世界たるアメリカで作曲しているからだ。本来この地は、もともとは下層民や城に働く人々がすんでいたが、火災などで再建され、ルネサンス様式で建築物が建造されたので、この名がつけられたという。

もう一度「ロレッタ教会」の話にもどろう。

さてこの教会にまつわるひとつの奇跡物語を紹介しておきたい。13世紀というから十字軍の末期の頃であろうか。聖地エルサレムにあった聖母マリアの家「サンタ・カーサ」(「聖なる家」の意味)が、イタリアのアンコーナにあるロレッタまで飛翔したという伝説である。

その奇跡伝説から、各地にこの「サンタ・カーサ」がつくられた。チェコにも数10ヶ所、同名の教会があるという。以来人々の信仰を集め、〈巡礼教会〉の性格を帯びていった。残念ながら時間がなく、外観だけをみた。建築は、この地の名匠ディーツェンホーファ父子の手になるという。階段には黒ずんだ小天使像がならんでいた。さらにレリーフには聖母マリアの一生があらわされていた。この塔には、ペーター・ノイマンの手による27個の鐘が納められ、巡礼の歌である「マリアの歌」を一時間ごとに奏でている。

つづいて2日目の市内見学を紹介しておきたい。

ストラホフ修道院〔Strahov Monastery〕

今回の旅において素晴らしい図書館をみた。プラハのストラホフ修道院である。このストラホフ修道院は、１１４０年ボヘミヤ王ヴラディスラフ2世によって建立された〈プレモントレ派（プレモンストラート）〉に属する。「聖母被昇天教会」や図書館などからなる。この派は、聖アウグスチヌスの規則に従って戒律と儀礼を執り行っている。

特に注目すべきなのはこの図書館である。１９５０年において３０００冊の写本と、２０００冊の初期木版活字本もふくめ、合計で13万冊を蔵書するという。これは驚きの数字である。

なかには立ち入ることはできないが、2室を見ることができた。「神学の間」は、１６７１年より79年にかけてジョヴァンニ・D・オルシによってつくられたバロック様式の間。天井は低いが、そこに描かれた天井画が壮麗の一語に尽きる。17のシーンがあり、神父ヒルンハイムの思想を映像化している。そこには古呆けた宗教関係の書物がならんでいる。まさに壮観である。廊下にもならべられていた。それはカトリック関係の書物が、いたるところから集められたという。

他方の部屋は「哲学の間」。１７８２年から84年にかけてイグナーツ・ヤン・パリアルディによって設計された新古典主義の部屋。この天井は、「神学の間」より高い。自然科学や医学などの書物がならんでいた。こうした図書館の歴史をみると、いかに書物を大切にしていたかを伺い知ることができた。

〈18世紀へのタイムスリップ〉というよりも〈中世の時間〉へ迷いこんだような錯覚におちいった。もしも、こんな所で文献を漁って論文を書くことができたのなら、それはもう研究者としては最高の気持ちとなるだろうと。「知」は本の中にちく積されるのだ。そのちく積されたものによってさらに「知」は新しい力をえてゆくことになる。書物とはまさに〈「知」の宇宙〉なのだ。

この〈知の宇宙〉というヴィジョン。私はそれを幻視としてではなく、よりリアルに感じとったのだった。ここには「聖母被昇天教会」もある。入り口から中をのぞいた。少し目に入れた程度だが天井のヨゼフ・クラモリンによるフレスコ画がとても優美だった。

このあと、「ナショナルギャラリー」に入った。最初にカタログを買ってこの美術館所蔵の作品を確認して、時間を有効につかって案内しようと計画した。だがそこにはこのギャラリーのカタログはなかった。聞くとスライドもないという。ないないづくしであった。少々がっかりした。どうもプラハは、美術関係の整備が充分にゆきとどいていないようにみえた。それは日本にいた時から気になっていたことだった。チェコ大使館や観光局に電話してプラハ市内にある美術館名の確認と所在地、さらに所蔵作品などを問いあわせたが、全然丁寧ではなかった。最後にはイライラしていい争いになってしまった。どこになにがあるのか未確認のまま来てしまったが、現地でも同じだった。

まず他の都市にはほとんどある市内の美術館案内パンフレットなどがないのだ。どうもその原因の一つは、別々のところにあった美術館がすべて国立美術館と総称され、個別の名称がつけられていないことが起因しているようだ。

また場所が、「聖イジー修道院」「聖アネシュカ修道院」「シュテルンベルク宮殿」の中という風に分散しているため作品確認の困難さに拍車をかけている。今後は〈キリスト教美術館〉とか〈近代美術館〉〈現代美術館〉などに区分整備していくことが課題となるようだ。仕方がないので、絵葉書類を購入した。

調べてみると、この美術館は『望遠郷プラハ』（同朋舎出版・１９９５）によれば、「シュテルンベルク美術館」となっていた。その解説を読むと「18世紀の終わり、ウィーン、ミュンヘンあるいはドレスデンとは異なり、プラハには絵画美術館と呼べるものはひとつもなかった。この苦い事実を憂慮したF・J・シュテルンベルク伯爵は１７９６年、ボヘミヤに一般向け絵画美術館の創設を目的にボヘミヤ芸術愛国同盟会社を設立。（略）１９３７年、この絵画美術館はチェコスロヴァキア国家のものとなり、１９４５年からプラハ国立ギャラリーの一部となった」とある。ただし現在、ここにあったピカソやクプカなどの作品は、別な美術館に移されたという。

この「ナショナルギャラリー」の見学に1時間予定したが、キリスト教絵画やルネサンス絵画、さらにネーデルランド絵画などもならび、結構な内容になっていた。

階段をのぼっていくと、処々に彫刻がおかれていた。初期フィレンツェ・ルネサンスを飾ったロッビアの彫刻がおかれていた。このロッビアはフィレンツェにある孤児院の彫刻を完成している。キリスト絵画がかなりつづいた。時間がたりないのだ。気になって後半の展示内容を足早に確認した。するとそこにウィーンの美術史美術館でみた、ブリューゲルの「四季図」のなかの一点、「干し草の収穫」の名画があるではないか。急いで「干し草」と対面した。もう少しであぶなく見落とすところであった。その他には、アルブレヒト・デューラーの「ロザリオの祝祭」や、ブロンズィーノの「トレドのエレオノーラ」の肖像があった。

この後、「カレル城」の下に広がるひとつの宮殿に入った。この地区は、通称「マラー・ストラナ」〔Malos transké〕つまり〈小さなプラハの街〉とよばれている。特にフス戦争後、権勢をえた貴族達が豪華な宮殿を造営したという。ここにあるヴァルトシュテイン宮殿とは、1923年から29年にかけて建立されたプラハ最初のバロック建築。将軍であるヴァルトシュテインの権勢力がしのばれる広大な敷地に、フランス風の庭園が広がっていた。なにより庭園の一角に造営されたグロッタ（洞窟）は、異様な美を放っていた。〈グロッタ〉とは、グロテスク様式の起源となっている。人工につくられたこの石筍が、黒ずんだ滝のようにたれ流れていた。

このあと華麗きわまりないバロック様式の「聖ミクラーシュ教会」〔Kostel svatého Mikuláše〕を見学した。この教会については、あとで触れることにする。

カレル橋〔Karlův most〕

さてこの街には、幾多の大きな橋がかかっている。そのなかでも一番古く、由緒正しいのが「カレル橋」。ヨーロッパでも最古の歴史を刻んでいる。王宮から坂をおりて旧市街へいく通路がこの橋である。1357年（完成は1406年）にカレル4世の命で施工が開始された。ゴシック様式の石橋である。長さは、515.7mもある。幅は9.4m。設計は、「聖ヴィート大聖堂」などを設計したペルト・パルレーシュ。はじめ無装飾であったが、1683年から1714年にかけて多くのバロック彫刻が設置された。19世紀にも新古典主義作風の彫刻も追加されたという。

17世紀には、「キリストの十字架」「聖ヤン・ネポムツキー」「ピエタ」「聖ヴァーツラフ像」などに過ぎなかった。18世紀の初め、反対宗教改革の運動とともに、新たに彫刻が追加されることになる。

現在ある十字架像は、5代目という。橋の中央にあたるのがプラハにとって大切な「聖ルドミラ」と「聖ヴァーツラフ像」である。ほかの名前を少々あげてみよう。「聖イヴォ」「聖バルバラ」「聖マーガレータ」「聖ドミニクス」「聖ヨゼフ」など沢山ある。反対宗教改革の時代の反映であろうか、イエズス会の開祖「聖フランシスコ・ザビエル」もある。

私の当初のプランではこの橋の上でプラハ観光の締めくくりとして、夕日をみようという計画であったが、夏のためなかなか太陽は沈む気配をみせない。さらに大変な観光スポットのためゆっくり景色をみる余裕はない。橋があるのではなく、人だかりの中に橋があるという感じだ。一点一点の欄干のところの彫刻をみて回るはずだったが、それは不可能だった。黒ずんだ彫刻が、ひたすらこの橋の古さを印象づけており、逆光のためよくみることはできなかった。なによりこの橋は、〈聖人ロード〉であり〈彫刻ギャラリー〉でもあるのだ。

橋をわたり広場にでた。「スタレー・ムニェスト」〔Staroméstské máméstí〕(旧市街)がひろがっている。昔から商業ロードの性格をもち、市場などが立ったという。中心にあるのが旧市庁舎。

この地の商店看板がとても独創的だった。それをみてあるくとなかなか楽しい。なかには鯉がシンボルとなっているものもある。特に有名なのが「天文時計」。死神の鳴らす鐘の音とともに、小窓がひらき、キリストの12使徒が順番に登場する。最後に金のニワトリがおたけびをあげるカラクリ時計である。

これを見ようと定時前には大群集ができる。札幌には時計台があるが、それとは全く異質なもの。単なる時計ではない。見せ物（エンターティメント）としての時計でもある。もうひとつは、天動説にもとずく時計がある。地球を中心に太陽と月、星の運動が示されている天文時計。さらに下部には「獣帯12宮」と「四季図」の暦板があり、それが一日に一目盛り動くという。つまりある種のプラネタリウムになっている。

この時計に纏わる恐ろしい話がある。この時計を設計したのが天文学者のハヌシュ。この精巧な時計がほかの街に作られないようにと、彼はある市会議員に襲われ盲目となった。

しかし、不思議なことがおこる。彼が死んだあとこの時計は停止してしまったという。このミステリー、なんとこれもプラハ的な出来事ではないか。この時計前は、観光客や道化の格好した方や、若いカップルなど沢山あつまり常に喧騒の場となっている。

「旧市街広場」に建つ壮大な彫刻が、ヤン・フス像［Jan Hus］。台座には「真実を愛し、真実を語り、真実を守れ」と刻まれている。ヤン・フスは15世紀における宗教改革の先駆者である。

１９１５年にヤン・フスの殉教５００年を記念して建てられた。この像が格好の若者達の溜り場となっている。ゆっくりとその群像をたしかめようとするが、その若者達に占拠されているのでかなり大変だった。若者といえば、坂のおおいこの街をローラースケートで凄いスピードで下る姿もあった。

3　プラハ〔Praha〕―その歴史の脈動

プラハの由来

チェコ共和国の首都プラハは、「百塔の街」ともいわれている。いや一説によれば塔の数４００ともいわれているほどだ。また「北のローマ」という呼称もあるように、古都の雰囲気を至るところにかもしだしている。ここでは旅のレポートのわくをこえて、激動の歴史を歩んだプラハのことについて長くなるが語っておきたい。

私的な感慨をいえば、街の印象は陽気なローマよりも暗く、ウィーンやパリのようには洗練されてはいないが、どこか落着ける庶民的な街であった。この国と都市の歴史は、とても古くケルト民族にまで溯及できるという。

このプラハという名称は、〈敷居〉という意味があると教えてくれたのは、チェコ生まれの女性ジャーナリストのヴラスタ・チハーコヴァーの『プラハ幻景―東欧古都物語』（１９８７）であった。彼女は、中央ヨーロッパの〈精神〉であり、チェコ国民の美しい〈心〉そのものであるとプラハを形容している。

「眼をとじると、大きな街が浮かび上がります。やがてその街の栄光が夜空にまばたく星のように美しく輝く時がくるでしょう。そこには、ヴルタヴァ〈モルダウ〉―川を三マイルほど下った、北を小川のブルスニツェに、南をストウポフ森のそびえるけわしい岩や崖に囲まれた場所です。あなたたちはすぐにそこへ行きなさい。すると森の奥深くに、一人の男が木を彫って家の敷居〈チェコ語でプラーク〉―をつくっているはずです。あなたたちはその男とともに大きな城をつくり、その城をプラハと名づけなさい。私の街プラハの地を踏むすべての人々は、あなたたちが城門をくぐる時と同じように、頭を下げて入城を許されることになるでしょう」。

このように、プラハとは、〈敷居〉〈入口〉の意味があるという。これは、最初の王妃「リブシェ」〔Libuše〕の予言である。この「リブシェ」とは、チェコ最初の王妃であり7世紀頃の王クロクの三女。容貌も美しく崇高な精神の持ち主であった。この伝説から気づくことがある。女性が男よりも権威を持ち、また保護者的存在であったことを語っている。8世紀には後継者としてプシェミスルが選ばれ、その子孫が繁栄の基礎をつくる。このプシェミスル王朝からは、キリスト教をこの地に導入した父子ホスチヴィートとボジヴォイ王が出ている。

女性優位の歴史は、さらに〈アマゾン伝説〉というべきものにもよくあらわれている。

ここにも〈アマゾン伝説〉があるとは知らなかった。「リブシェ王妃」が没してからまもなく男女戦争というものが起こる。プシェミスル王の支配は強大となり、その上女性は以前ほど尊敬されなくなった。そのため女性達は、ヴィシェフラードより高いジェヴィーン城に立て篭もり、武器をもってみずからの家族達を殺戮していったという。しかし、策略によりこのアマゾンの蜂起は鎮圧され、男性優位の歴史は築かれていったという。

10世紀には、ジェヴィーン城があった場所に「フラチャヌィ城」が建設され、ボジヴォイが「聖マリア教会」を、10世紀にはその息子ヴラチスラフ1世が、「聖イジー教会」の基礎を築いたという。現在ある「プラハ城」とは、フラチャヌィ城のことであり、まさに歴史の目撃者、建国の神話の主舞台でもあったわけだ。

このように、プラハは伝説につつまれた場所である。女性優位の伝説は、決して過去のものではないという。ガイドをしてくれた東京・浅草出身の東原清介さんによれば、女性は現在でもなかなか力をもっているという。実際に各界において男性にもまけないほどのパワーを発揮しているという。実際に路面電車や大型車を運転する女性の姿を眼にした。

さらに予言能力をもち、祖国建国の母的存在でもある「リブシェ」への愛着は、現在もつづいているという。ちなみに国民劇場のこけら落しはチェコ語によるスメタナ作曲の全3幕もののオペラ「リブシェ」〔Libuše〕であった。東原さんは、陶芸の勉強のため来日した奥様と出会い、結婚しプラハに在住して4．5年になるというが、娘の名前を「リブシェ」とつけたという。家では日本語とチェコ語の両方を話せるようにしているという。娘に、「いってきます」「ただいま」を教えても、なかなかその区別できなく家に帰っても、「おかえりなさい」といえなく、「ただいま」といって迎えてくれると、少々うれしそうに、少々苦笑しながら語ってくれた。

この女性中心の伝統は、教会建築にも影響している。というのは〈塔の街〉らしく沢山の塔があるが、教会建築には、それはアダムとイブを表す2つの塔があるが、この地ではイブを表す塔の方が大抵の場合は、アダムよりも高いという。それは、アダム（男）を保護する意味がこめられているらしい。

もうひとつの闘う女性にまつわる話を、東原さんが紹介してくれた。それは、先のチハーコヴァーの『プラハ幻景』にも記載されているが、古代のスラブ民族は、狩猟民族であり、女性も果敢に戦闘に参加していたという。現在のボヘミヤにネクラン王が君臨していた頃、西にはルチア部族のヴラスチラスが支配していた。このヴラスチラスの部下にストラバという男がいて、ボヘミヤから捕虜になってきた美女を、妻にした。

両族の対立が激しくなり、ストラバが戦いに出ることになった。予言の力をもっていたストラバの継母は、戦況を占うがいい結果がみえないので、ひとつの諭しをする。それは、兵隊が倒れていっても、槍をおろしていなさい。最初にとびかかってきた者をころさず、槍でつきさし両方の耳を切りおとしなさい。すれば、助かるとのべた。ヴラスチラス軍は、敗北をかさねた。ある時、ストラバの目の前に、馬に跨る若いボヘミヤ人が現われた。継母の言葉を思い出し相手に槍を刺し、敵の両耳を切った。家に帰ると、美しい妻の体は息をしていなかった。胸には黒い穴が明けられ、耳はなかった。〈敵兵〉として殺したのは、祖国を愛するため男として武装した妻であったのだ。

受難と抵抗

他方、プラハの歴史を語る上で、忘れてならないのは、受難と抵抗の歴史である。

古くは、「フス戦争」にまでさかのぼる。カトリックの宗教政策に批判の声をあげたヤン・フスは、現在もプラハ市民の魂の代弁者のようだ。ヤン・フスは、「カレル大学」〔Univerzita Karlova v Praze〕の総長になった人物であるが、１４００年に叙階をうけ１４０９年には母校の大学に戻り講師となる。

彼は、ベツレヘム教会の管理者となり、ルターよりも約１００年も前に改革の烽火をあげた。彼は、ラテン語ではなくチェコ語で説教を行い、わかり易く改革の思想を伝え民族の自立を訴えた。彼はチェコ語の「標準語」をつくることにも寄与した。

その改革思想をひとことでいえば、権威と強欲に固まったローマ・カトリック教会に対して純粋の信仰を訴え、さらに聖書の重視であった。改革を求める運動は燃えさかり、それに伴い弾圧も激しくなり１４１２年には３人の若者が処刑され、ついにローマにフスも召喚される。１４１４年、「コンスタンツの宗教会議」で異端の宣告をうける。しかし彼は燃える炎のなかで、〈自由は打ち勝つ〉とのべた。

その後の、この国の歴史は、大国、強国による支配、占領という受難の歴史の連続となる。特に20世紀におけるナチス・ドイツによる１９３９年からの占領は忘れることはできない。１９３８年のミュンヘン会談で英仏などのヨーロッパの列強は、ナチス・ドイツの台頭を許容することで共産国ソビエトとの拮抗を意図した。いわゆる世にいうこの「宥和政策」によりナチスは勢いづき、ズデーテン地方を占領する。１９３９年には、全土を占領し保護国とし、さらにスロバキアを自治領とする。スロバキア人は、一時こうした事態を歓迎し、そうしたことが解放時にもおおきな溝となった。その侵略者ナチス・ドイツからの解放者がソビエトということが、より複雑な両国関係をむすぶことになる。

では複雑な関係、そしてその実際とはどういうことをさすのであろうか。日本ではあまり知られていないが、共産主義国家ソビエトへの理解と関係の違いは、その後のチェコとスロバキアの歩みそのものを拘束していった。より親和的関係をスロバキアはソビエトと結んでいったため、チェコとはちがう政治姿勢をとるようになる。

ナチス・ドイツによりチェコ側は、ボヘミヤもモラビアも奪われ、ドイツ語を強制され兵役にかりだされ苦難の歴史を刻むことになる。抵抗者は、容赦なく徹底して逮捕され、弾圧され虐殺されたという。総督暗殺者をかくまったという疑いで、このプラハの郊外にある「リディツェの村」では住民全体が地上から抹殺された。

実は、この「リディツェ村」については、いささか関わりがありぜひ訪問したいと願っていたが、個人的なことなので次の機会にのばした。東原さんにこの村の話をしたら、ご存じなく、翌日奥様に聴いて、おしえてくれたところによると、プラハより約1時間位の所にあるという。この村で虐殺された子供の像を、彫刻として建立する計画がありその援助を日本の秋田に住む婦人がすすめており、私もその募金集めに関わっていたためである。プラハ在住の彫刻家が、その子供の像をつくっていた。この彫刻家が亡くなり、奥様がその遺志を継ぎ建立をのぞみ、資金援助の話を聞いた日本の主婦たちが、全国に支援の呼び掛けをおこなった。私も、編集・発行している『美術ペン』にも紹介して、募金を呼びかけ微力ながらその一助をした。

実のところ、これまで私もこの村のことは全然しらなかった。アウシュヴィッツなどのポーランドの強制収容所などは、教科書などでもある程度しることができるが、チェコ（当時はチェコスロバキア）のことになると情報がなく全くの無知に近かった。この村は、報復のため住民は無差別に殺されたというから、それはスペインのバスク地方の「ゲルニカ」以上の悲劇といえるのではないか。

私は、今でも秋田の婦人が送ってくれた一枚の写真のことを忘れることはできない。その子供達の眼差しを！　死を前にしての不安な顔を！　いわれなく理不尽にもみずからの生を奪われた無垢なる子供達。今回は果たせなかったが、どうにかしてこの村を、訪れてその建立された彫刻と対面し、祈りの声をあげたいと願っているのだが…。

さきのフスの〈自由は打ち勝つ〉という最後の言葉は、深く、そして地下水のように沈みつつ現代にもしっかりと継承されていった。現代史の上でも忘れることのできない１９６８年の「プラハの春」〔Pražské jaro〕という人間の顔をした民主化の運動は、蹂躙されていった。それも共産主義を旗印にした軍隊によって。

この時の政治的弾圧は、まだ政治的な意識が充分ではなかった私にも、ドゥプチェクという名とわかちがたく心の中に残っている自由のシンボルとして結びついている。スロバキア人のドゥプチェクは、その年の春から、自国の自立、民族の自立をめざしつつ改革を提起していった。しかしソビエトは、〈正常化〉の名の下に、ワルシャワ条約機構軍を派遣し、ソビエト型共産主義を強制し暴力的に民族の自立と自由を抑圧していった。抵抗の中から新しい文化が生まれていった。敗北の歴史は、ブラック・ユーモア、ナンセンス、不条理文学を生み、さまざまな〈お化けの伝説〉を生んだのだ。

１９４８年から１９８９年までソビエトの支配下にあったが、状況は変化し、ソビエト（官僚主義国家）の崩壊とともに、彼らの自由を希求する願いは、ようやく実現されることとなる。

このチェコ人の不屈の意志力には敬愛するものがある。それは長い長い〈受難〉と〈不自由〉からの解放を意味した。

プラハの春〔Pražské jaro〕

それにしても、なんと長い道であったことか。東欧全体にまきおこした改革の嵐の中で、プラハでは民主化をめざす「ビロード革命」〔sametová revoluce〕がおこる。それは、〈無血による革命〉であったので、ビロードという形容をつけた。数百人の人々が自由と独立を求めた「77年憲章」〔Charta 77〕をよりどころにして、闘争はつづけられた。

この時、学生達は焚刑の中でのべたフスの「自由は打ち勝つ」を合言葉にした。街の中でこんなことを目撃した。この街のひとつの橋から、巨大なメトロノームのようなモニュメントがみえた。東原さんに聞くとビロード革命以前には、その場所に、レーニン像がおかれていたという。民主化の運動の中で、それを撤去した。代わりに新しいモニュマンを設置したらしいが、それはうまく動いていないらしい。

ヴァーツラフ・ハヴェル〔Václav Havel〕大統領は１９３６年生まれというから、この国の現代史を文字通り生きており、「プラハの春」の時には、作家連盟の一人として、また「77憲章」を作成した一人として活動してきたが、何度か投獄もされた。

この文化人が、民衆からチェコ共和国の大統領として選ばれた。プラハ城のある大統領府で政務をとっている。プラハで一番歴史的な場所が政務の場所というのもなにか特別な感慨が湧いてくる。彼が、政務をしていると、それを表す旗が一本立っているという。

「プラハの春」といえば、もう一つのことが思い出される。

それは、国際的音楽会の名でもある。この音楽会は、国民学派の中心人物ベドルジフ・スメタナの「わが祖国」〔Má Vlast〕で幕開けするという。スメタナは、チェコの民族的リーダーの一人でもあり、１８４８年以後の民族復興を牽引した。彼が設立に尽力した音楽学校ではチェコ語を使うことが義務づけられた。それは、ドイツ文化への抵抗の意思を示し、さらに自らの血の言語であるチェコ語を使うことが、文化にとって一番大切なことであることを鮮明にするためであろう。

言語、音楽、絵画など自国の文化をつくり出すものは、一番深くその民族の心と魂をあらわすものらしい。チェコ文化をつくり出した芸術家は、その民族性に根ざしており、それを基盤にしてすぐれた芸術を開花させた。チェコの歴史と文化は、きってもきり離せられないのであろう。歴史が文化をつくり、文化が歴史をつくり出していくのだ。これが最も大事なこと。それがこの地では綿々と現在にまで継承されているのだ。

そんなことを、おもいながらこの街の探索した。ただ、そんな幾分私的な感情過多の想いとは関係なく、ヴルタヴァ川はゆったりと流れていた。この流れだけは、〈フスの時代〉も、「プラハの春」の時にも、不変であったようだ。この川は、時代を越えて生きているのだ。自国の抵抗の歴史を忘れずに生きること。それがとても大切なことである。そんなことを、つよく感じた。街の風情、ふみしだかれた石畳が、そんな想いに自然と私をかり立てるのだった。

4　シナゴーグ〔Sinagoga〕

プラハの見学の最後の場所を、シナゴーグ地区にした。それは、単にユダヤ人の問題に関心があるだけでなく、この都市の歴史にとっても不可欠な問題を提起しているからである。

この街のゲットー〔ghetto〕は、ヨーロッパで最古という。またこれだけ、しっかりと保存されているのも貴重である。実存主義者J. P. サルトルの指摘を待つまでもなく、この民族の受難の歴史は、想像を絶するものだ。みずからの国土ももたず放浪の民として運命づけられたようなこの民族は、ドイツ・ナチスによるユダヤ人の絶滅政策、大量虐殺「ホロコースト」〔Holocaust〕によりさらに受難の試練をうけていく。

ゲットーとは、本来、ヴェネツィアにあるひとつの島の名であった。その島にユダヤ人が閉鎖された場に集められ強制的に居住させられた。それ以来、ヨーロッパ各国でも、ユダヤの民はある一定の閉鎖的場所に集められ、外との交流が制限されたのであった。

パリでも同様であった。交易に従事した彼らは、初めシテ島に住んでいたが、そこを追い出されマレー地区に住むことになった。現在も、シナゴーグがマレー地区には残存している。

プラハでは、7世紀位からユダヤ人のゲットーが形成された。壁がつくられた。ヨーゼフ2世による寛容令により、緩和するまで文字どうり交流は制限され、閉鎖されていた。

20世紀初頭までは、独特の町並みを形成していたらしい。非衛生で密度の高かったこの地区は、現在かなり整備されているようだ。少々観光化されすぎている気がしないでもないが、いまも特有の雰囲気を保っている。今回は、時間の関係で全てをみることはできなかったが、「旧新シナゴーグ」〔Staronová Sinagoga〕、共同墓地、「ピンカス・シナゴーグ」〔Pinkasova Sinagoga〕を見学できた。

「旧新シナゴーグ」は1270年頃につくられたもの。屋根に特徴がある。切妻様式の屋根が目を引いた。入口にかかげられた〈ユダヤの星〉の印が、シナゴーグであることを教えてくれた。この場所に足をふみいれると、全く異質な世界に入ったという気がした。

「旧新シナゴーグ」に入るためには、男は、小さな帽子のミニチュアを被ることが義務づけられた。自分では、その姿をみることはできなかったが、〈みんなはお似合いよ〉と、いってくれた。本当だろうか?シナゴーグとは、ユダヤ人の会堂のこと。中に入ると以外と狭い。祭壇風にはなっているが、キリスト教のそれと比較すると、素朴、簡素である。聖なるものへの祈りの場というより、むしろ集会場というかんじがした。装飾もすくなく、白い壁、歴史を刻んだイスや机が黒光りしていた。

その後、「ピンカス・シナゴーグ」に入った。ここで少々トラブルがあった。どうも別の料金になるらしい。係の者は、墓地をみるならあわせて特別に割引してやるから100コルナを払えという。あとでガイドブックをみると大人は80コルナとある。どうもぼられたようだ。

このシナゴーグには、ユダヤの経典などが置かれてあるが、ここを訪れたことには特別の目的があった。壁に記されたユダヤ人達の名前を自分の眼で確認するためであった。ナチスに抵抗し殺された人たちの名前が記載されていた。壁全体に、これでもかこれでもかと記されていた。この名前の洪水には、予想をはるかにこえていた。言葉を喪失してしまった。近くに寄って確認すると、チェコの各地毎に分類されているのがわかった。プラハ、ブルノなどの都市毎に、つまり殺された場所毎に氏名、生没年が色をかえて記されていた。その数、7万7297人という。

現代美術の世界では、文字がひとつのメディアとしてコラージュや、メッセージとして活用されることがあるが、それとは異なるものといえる。なぜならこの一文字、一文字が、固有の生を持ち、それが奪われたとの記録であるからだ。遺骨があるでもなく、本人の写真一枚が貼られているわけではない。本人を表すものはなにもなく、〈文字だけ〉なのだ。それだけに、その一人一人の顔や死の情景を想像してしまう。没年が、〈1942〉〈1943〉〈1945〉年となっているのが、なんとも痛々しい。それにしてもその人をあらわすものは何もないという事実。それがこんなにも悲嘆の感情をかきたてるとは！そのことが心に重く迫ってきた。

このシナゴーグを越えていくと、「旧ユダヤ人墓地」〔Starý židovský hřbitov〕となっている。ここもとても狭く、暗かった。ひとかけらの華やかさもない。ただ墓石が集積されているだけ。文字も読み取ることはできないほどだった。じめじめと狭い通路。鬱蒼とした光のささない墓地。そこに墓石が相互に依存しつつ倒れるように重なっている。その下には、何層にも死体が堆積しているという。なんという死の累積であることか！1万2000基の板状墓石がかろうじて立っている。

土の下は、死者の眠る場所。この墓石で最古のものは、1439年に葬られたラビでもあった詩人の「アヴィグドール・カラ」〔Avigdor Kara〕のものという。文学者澁澤龍彥は、この墓地でこの高名なラビ名をかなり時間をかけて探したというが、発見できなかったという。

さらにラビのレーヴは、「ゴーレム」〔golem〕を創造したことでしられている。このラビ像はプラハ市庁舎に建てられている。ゴーレムとは、ユダヤ教で伝承されている〈泥人形〉のこと。またヘブライ語では「未完成なもの」や「胎児」を指すという。

18世紀以来、ここは現在使用されていないという。文学者のフランツ・カフカは、ジジコフという別なユダヤ人墓地に入っているという。気にはしていたが、そこまで足をのばすことはできなかった。

「Das Jüdische Museum in Prag」のリーフレット

5　建築のアラベスク

ボヘミヤン・バロック

この都市のもう一つの魅力は、よくいわれるように、〈建築の見本〉が揃うことだといわれる。また〈マニエリスム都市〉という評者もいる。一時は神聖ローマ帝国の首都として君臨したこともあり、またハプスブルク帝国の影響下にあり、さらにローマ・カトリック教会の権力の発現の場でもあったため、さまざまな時代の様式が渾然と入り混ざってゆくことになった。アラベスクのように、きらびやかに光を放ちつつ……。

実際にそれぞれが様式がことなり、それが横並びになっている。建築物が、ひとつの権勢のシンボルであることは、どの時代でも同じことではあるが、特にこの地のバロック建築には、その政治的意味合いがとても強いようだ。通称、〈ボヘミヤン・バロック〉と呼んでいるが、その派手なそして劇的な表現には圧倒される。

本来バロック様式とは、ルターなどのプロテスタント派による宗教改革に対抗することから成立している。16世紀から17世紀にかけて、イタリアのローマからそれが発信されていくが、失墜したローマ教皇とローマ・カトリック教会の権威を、ふたたび再興させようとする宗教政策に基づき、豪華絢爛、劇的な空間を構築する教会堂が、彫刻家も建築家も動員され、この地上に天国の世界を再現するかのようにして、さかんに建造された。

それは、別な言い方をすればこの地上から魂を天へと飛翔させるような錯覚を、身体全体で体験させることであった。そうした〈装置としての空間〉を造った。神という神的存在をを、身体で味わうことができるまさに視覚的恍惚感を創り出した。それをより効果ならしめるように、巧妙な仕組みがなされている。たとえば「マラーストラナ」(小地区)にある「聖ミクラーシュ教会」では、その内陣の丸天井には、鳩が、つまり聖霊のシンボルを発見できる。

あとから分ったことだが、プラハのカレル大学に留学経験がある石川達夫の『プラハ歴史散策』(講談社+α新書・2004)によれば、この教会は反宗教改革を推し進めたイエズス会によって建てられたという。そして教会の正面にはイエズス会の創設者たる聖イグナティウス・デ・ロヨラと聖フランシスコ・ザビエルの像が飾られているという。さらに聖イグナティウス・デ・ロヨラ礼拝堂があるとも…。どうも私はこの教会がイエズス会系のものとは全く理解していなかった。ただ1773年になりローマ教皇クレメンス14世によってイエズス会は解散させられることになるのだが……。祭壇中央で、下から真上を見上げれば、神の住む座がみえ、しばしそうしていると、身体全体がなにか宙に浮くような感覚におそわれるのだった。

この地区は、旧市街に次ぐ古く市場として開かれ、18世紀になり貴族達がすみはじめた。またこの広場の中心には、1715年のペストの終焉を記念した円柱(三位一体柱)が立てられている。

さて「聖ミクラーシュ教会」に入ってみることにする。天井のフレスコ画はシレジア出身のフランチシュク・グザビエル・パルコの手による「聖三位一体の栄光」。彼はイタリアで学び、ウィーン様式を紹介した人物という。その天井画はとても壮大だ。なんと1500㎡もあるという。中央回廊の天井のフレスコ画は、

「聖ミクラーシュ」の至上の栄光とその一生をあらわしている。

この「ミクラーシュ」とは、聖ニコライのこと。現在、柱、壁や彫刻など修復中であった。その修理が写真入りで説明されている。柱も洗われ、大理石模様も新鮮な輝きをみせ、壁のフレスコ画も色彩をとり戻していた。大層大げさなバロック的装置は、イグナーツ・プラツェルの手による彫刻により造形されている。4人の聖人像の表現、特に衣服が、とても力動感がある。解説本などによれば、その聖人とは聖バシリウス、アレキサンドリアの聖キュリロス、聖ヨハネス・クリュソストム、ナジアンソリスの聖グレゴリオスという。どうも馴染みがないのは、彼らはすべて東方教会出身の教父であるためらしい。大理石をダイナミックに表現し、歌舞伎役者のように大袈裟なミエを切らせている。また、彫刻も壮大で見事というほかはない。銀色がくすんだ光を放っていた。

このプラハ随一といわれるバロック建築は、3人のディーツェンホーファー一族によって飾られている。クリシュトフ・ディーツェンホーファーと、息子のキリアーン・ディーツェンホーファー、キリアーンの婿A・ルラゴ。

実はこの教会はモーツァルトと、とても深い関係がある。モーツァルトはこの教会のパイプオルガンで演奏したという。実はあまり知られていないがプラハとモーツァルトは、とても深いつながりがある。彼の初訪問は、1781年という。招いたのはトゥーン伯爵。プラハでは「フィガロの結婚」を上演し、大好評を博し、それに感激し、モーツァルトは「プラハ市民は私を理解している」とのべたという。

プラハ郊外には、さらにモーツァルトが滞在した「ベルトラムカ荘」〔Bertramka〕がある。所有者は、この地を代表する音楽家であったデュシェック夫妻。彼がプラハを訪問するきかけをつくった人である。モーツァルトは、この地の名をつけた交響曲第38番「プラハ」を作曲しているし、デュシェック夫妻の協力をえつつ、オペラ「ドン・ジョヴァンニ」の序曲など作曲している。祝典用のオペラ・セリア「皇帝ティートの慈悲」は、〈ベルトラム荘〉でわずか18日間で作曲されたというからさすが天才である。

この様に色々とこの地は、モーツァルトとは相性がいいようだ。そういうことがあってか、彼がウィーンで亡くなった時、この教会に４０００人もの人々が集まり、ミサをとり行ったという。またどこよりも早く鎮魂のためモーツァルト作曲の「レクイエム」を初演奏した場でもある。

最後に2日間宿泊したホテル「Esplanade Hotel」〔Washingtonova19〕のことを語っておこう。

１９２７年創業の5星ホテルで64の客室のみ。こういうホテルを高品位のホテルというのではないだろうか。サイズはさほどおおきくなく中堅というかんじ。しかし細部にわたって優美さが感じられる。ロビーは狭いが応接間のような待ち合い部屋がある。朝食をとったレストランも含めてとてもシックだった。部屋も清潔感にみちあふれシングルでありながら、とてもゆったりとしている。バスタブもとてもビックサイズだった。疲れがとれリフレッシュできるホテルであった。交通の便もよく、近くには公園や中央駅があり朝には散歩をした。

駅の界隈には、どこの国にもみられるように浮浪者もおおい。古い方の駅は大分壊れていたが、内部空間まで入ってみた。とても驚いたことがあった。というのも、建物全体や内装はセセッション（分離派）様式となっていたからだ。当時としては新建築だったのだろう。

ヴァーツラフ広場〔Václavské náměstí〕

近くにはオペラ座やウィーンでみた歴史主義建築様式に似た壮麗な国立博物館もあり、さらにプラハにとって最も大切な広場である「ヴァーツラフ広場」がある。ナ・プシコーペ通りからこの国立博物館に至る幅60m、長さ750mの広大な広場空間。カレル4世が中央広場と定めたが元は馬市場であった。1848年から現在の「ヴァーツラフ広場」となった。

1912年には、彫刻家ミスルベクによる槍をもつ馬上の「聖ヴァーツラフ像」が建立された。ヨーロッパの各都市の広場は、固有の歴史を語ってくれるが、この広場はとてもチェコとプラハそのものの歴史と深く交差している。この場で何度か歴史は転換しているのだ。それは決して大袈裟な表現ではない。まちがいなくチェコの現代史の「証言場」であるのだ。ではそこからどんな歴史の聲や人々の証言の聲がきこえてくるのであろうか。1948年には、市民がチェコ共産党を支援する声明をよみあげた。1968年にはワルシャワ条約機構軍が戦車でこの地を占拠し、チェコの自由化を力で弾圧した。これに抗議して学生ヤン・パラフ〔Jan Palach〕は、焼身自殺をする。

現代史において、絶対に忘れてはいけないいくつかの抗議の死がある。一つは僧ディィック・クァン・ドックの死だ。ドックは南ベトナムのゴ・ディンジェム政府が行った仏教徒の弾圧に抗議してサイゴンで自らガソリンをかぶった。

一方のヤン・パラフは、チェコスロバキアの学生だった。当時、カレル大学の哲学部で歴史と政治経済を学んでいた。パラフは人間の権利と自由を奪うこの政治的弾圧に抗することを決意した。しかし民衆は沈黙するばかりだった。ワルシャワ条約機構軍の戦車は、民衆の叫び聲を圧殺した。政治家は無力を呈した。パラフは一大決心をする。自分のいのちを自由のために捧げることにした。いやこうもいえるのではないだろうか。自分の死のあとにつづく者が必ずいるはずだと。死こそが最大の叫びであり、必ず全世界にとどくはずだと。それを信じて身に火を放ったのだ。

私達は決してこの二つの死を忘れてはならないのだ。みずからのいのちを捧げること。その行為がいかに崇高なことであるか。そのことを現代史の1ページを飾る単なる一つの過去の出来事にしてはいけないのだ。その死を私達はたえず心の中で反芻する必要があるのだ。いやそうしなければならないのだ。彼らの抵抗の聲は無となってしまうからだ。

この学生を追悼して今でも花が添えられている。この旅で私が一番訪れたかった場だ。自由を叫び抑圧に抗してみずからの身を焼く行為。ここに立って心は強くふるえた。さらに1989年の自由を叫ぶ民主化運動〈ビロード革命〉の時には、何十万もの市民がここでデモをした。この革命によってより自由化と民主化は進行し、言論もふくめて西欧型に急接近してゆくことになるのだった。

プラハ、それは〈夢の街〉であり、歴史がなまなましく浮上してくる現場でもあった。プラハ、私にとってそれはグサリと直截的に心を突き刺す都市でもあった。

プラハ—Staroměstské náměstí
（プラハで買い求めた絵葉書から。中央にヤン・フス像）

※この「プラハ美術紀行」は１９９６年夏に行った「ザルツブルク・ウィーン・プラハ紀行（中央・東欧の旅）」の「旅のメモ」をベースにしてある。古いデータもあったので再録にあたって補足説明を加えた。また不足分がかなりあったので、数本のアートコラムをあらたに書きおこして収録した。並行して読んでいただくととてもうれしい。

［アートコラム1　プラハのカフカ］

プラハ。それは多彩な音を奏でるシンフォニーのようなもの。なぜならこのプラハという中欧の都市から聞こえてくるのはスメタナの音であり、ドヴォジャークの音であり、モーツァルトの音でもあるからだ。〈音楽の街〉といっても過言ではない。

建築的にみれば〈百塔の街〉といわれ、ゴシックやバロックやらさまざまな様式が混在し、モダンな現代建築も姿をみせている。

では〈文学都市プラハ〉とみればどうなるのであろうか。まずなによりもフランツ・カフカ〔Franz Kafka〕と不離の関係にある。なぜならカフカはプラハで生まれ、ほとんどプラハの人であったからだ。

こんなカフカの言葉がある。「私は傷害保険局で働いていますが、それがいつの日か遠く隔たった国へ行き、安楽椅子に腰掛けて、書斎の窓越しにサトウキビ畑とかイスラム教徒の墓地を眺めたいものだと思い続けています」。

文中にあるようにカフカは一時傷害保険局の事務官として働いていた。つまり官庁の一署員であった。正式にいうと〈ボヘミヤ王国労働者傷害保険局〉（以下、保険局と表記）という。そこになんと14年間にわたって勤務した。だから先の文にあった〈遠く隔った国〉は結果としては〈夢の国〉となり、〈安楽椅子〉に腰掛けて、他国の風景に目を愉悦させることはできなかった。

さらに〈夢の国〉は結核を患うことで、それは〈サナトリウム〉となり、〈安楽椅子〉は、サナトリウムの〈ベッド〉と化してしまったのだ。

ではなぜこうした〈夢の国〉をみるようになったのであろうか。私はその理由の一つに彼が生まれ育った環境にあるとみている。カフカの父は南ボヘミヤからプラハに出てきた。ここにはかなり長い間、ゲットーがあったのだ。ただし18世紀になりヨーゼフ2世の時代からゲットーの解放がすすみ1848年以降は、さまざまな改革でゲットーそのものが廃止された。プラハにはかなりの間ゲットーという〈閉じられた空間〉があったのだ。いやゲットーだけでなく、視点をかえてみればプラハ自体が古い街並みにかこまれた一つの〈閉じられた空間〉であったといってもまちがいではない。

ではカフカの家庭環境はどうだったのであろうか。父ヘルマンは、プロレタリア運動にも参加したことあるという。母ユリエ・レヴィは、ドイツ系ユダヤ人で、ブルジュア家庭の出という。父は、装身具を扱う店を経営していた。

家庭内の雰囲気はどうであったのであろうか。父母は、乳母と家政婦に子供の世話をまかせたという。どうみても温みのある家庭ではなかったようだ。つまりカフカ家もまた、カフカにとって一つの〈閉じられた空間〉になっていたのだ。

カフカはドイツ語を学びドイツ語による教育を受けることになる。それは当然にもカフカ家の教育方針であった。少しでも高い社会的地位をえるためには、ドイツ語修得は絶対に必要だったのだ。そのこともありだからこそ、カフカは『変身』(Die Verwandlung) など全ての作品をドイツ語で発表している。

カフカが通ったのは、プラハ内でも有名なエリート校であった。その校名は〈ドイツ語教育による〉王立プラハ・ギムナージウムといった。このエリート校からは数多くの法律家・医師・官僚を輩出しているという。カフカ自身も法律を学んだ。

実はこのエリート校は、現在ゴルツ・キンスキー宮殿と呼ばれ、旧市街に現存しているという。残念ながら旅行中にはこの建物を確認できなかった。

このエリート校を卒業し、無事に先にのべた〈保険局〉に就いたが、官僚的な職場になじむことはできなかった。カフカ自身はどうも局内で能力を発揮して、上へ上へと出世してゆくタイプではなかったようだ。この〈保険局〉もまた、もう一つの〈閉じられた空間〉となっていた。

内面の自由を求めて次第にカフカは、小説という空間にみずから魂の安息の場を見出していった。王立プラハ・ギムナージウムに学びつつ、少しづつ小説に手を染めていった。仲間にみせることもあったが、自作に対しては否定的にみていたようだ。ある時は、破り捨て、またある時は未定稿のまま放置したようだ。

よく知られているように、カフカは生前、死後に自分の作品が人々の眼にさらされることのないように自作を全て燃やすように願っていたし、友人マックス・ブロートにもそうするように厳命していた。マックス・ブロートはその約束を反故にすることで、つまり〈裏切る〉ことで、カフカ文学を世に出すことになるのだった。

いま私達がこうしてカフカ文学と出会えるのは、マックス・ブロートの〈おかげ〉でもあるのだ。

カフカは１９１７年、つまりロシアで革命がおこった年に結核と診断された。治療と回復をめざして各地のサナトリウムを転々とする。先にものべたように、悲惨なことに〈夢の国〉〈遠い国〉がまさに〈サナトリウム〉におきかえられてしまったのだ。

彼の魂が天へ引き上げられるのが1924年6月3日のこと。場所はウィーン近くの〈キーリンク〉という。最後に〈キーリンク〉が、〈遠い国〉となってしまった。

カフカが死の床につく二年後、つまり1926年に息を引きとった文学者・詩人がいる。同じプラハ生まれのR・M・リルケだ。リルケは、プラハのことを〈母なる心臓〉と呼んでいる。リルケは多くの〈遠くの国〉を訪れることができた。花の都パリにも、南スペインにも……。1875年生まれのR・M・リルケ。カフカより8歳年上である。カフカとR・M・リルケの人生の歩みの差異。どうしてこうなったのであろうか。ゆっくりと調べてみたいとも考えているのだが……。

でも、カフカの『変身』は、いまや実存主義文学の先駆ともいわれている。R・M・リルケより知名度は高いかも知れないのだ。いやそれどころか、なんと現代の官僚主義の弊害やいい知れぬ不条理が、人々の心をむしばむ不安な時代の到来を〈予告〉しているといわれているではないか。『変身』の主人公グレゴール・ザムザは、〈私〉であり〈貴方〉でもあるのではないだろうか。

私はカフカの次の言葉がどうしても忘れられない。

「我々の世界の凍えるような宇宙を暖めることができる」と。多くの〈閉じられた空間〉に包囲されながら孤独をみつめながら筆に全てを託したカフカ。まちがいなく彼の文学空間は、現代人の孤独をゆっくりと溶かしてくれるのではないだろうか。〈凍える心〉〈凍える宇宙〉を暖めようとしたカフカ。あの鋭いまなざし。

あの訴えるようなまなざし。あの〈まなざし〉は世界の一切の〈虚なるもの〉を透視し、人の心の嵐を少しでもしずめようと試みたのだ。プラハ。それはカフカの〈まなざし〉が育くまれた〈トポス〉でもある。〈閉じられた空間〉の中から未来の世界の真実を洞察したカフカ。私達は、プラハを訪れるとき、あるいはプラハを心の中で思念するとき、決してカフカのことを忘れてはならないのだ！なぜならまちがいなくカフカの不条理文学は、プラハの血と骨によって育まれ、カフカはそのにがい血を飲み込みながら、それを文学の骨としたのだから！

〈黄金の小路〉カフカがここに住んだことを示す！

【アートコラム2　改革の人ヤン・フス】

プラハを訪れることになったとき、どうしても自分の眼でたしかめたかったのがヤン・フスの像だった。〈像〉といったが、それは単に彫刻としてのヤン・フスではない。むしろこの地で宗教改革の烽火をあげた改革者フスの実像であった。

実は、私は北海道教育大学（札幌分校）において小学校課程（社会）に属しつつ西洋史を専攻し、その研究室に籍をおいていた。研究室とはいえ、数人の仲間がいるだけ。特に女性が多かった。教授はフランス史専門の先生だった。北海道大学で堀米庸三（ヨーロッパ中世史研究者）先生に薫陶をうけた方だった。吉田弘夫先生はフランス革命前の〈アン・シャンレジーム〉体制を分析していた。特に革命前のフランス農村史から〈革命〉の萌芽を見出そうとしていた。

研究室のゼミでは、フランス革命前の資料やアナール派の中世史研究家マルク・ブロックの『封建社会』をそれぞれ原語で講読した。一年時にドイツ語を履修していたのでフランス語の文献資料を〈読む〉のはかなりの難行となった。フランス語の初歩を自分で学び、資料やテキストを読むためには、『仏和辞典』（白水社）や大学図書館で大型の『ラルース百科事典』を開きまくりだった。

文脈はよみとれず全てが何か〈暗号文〉にみえていた。その〈暗号文〉のようなものを解き明かして、文にするまで悪戦苦闘の連続だったのを今でもはっきりとおぼえている。

原資料に〈あたる〉ことの大切さや歴史観をもつことも学んだ。吉田弘夫先生は、白水社文庫の『フランス中世史年表』を共訳し、さらに平凡社から大阪のシリーズ「世界を創った人々」の一冊『ルイ14世』を訳出していた。

いずれにしても過去の歴史資料を調べ、そこから何か大切な〈事実〉を発見してゆくこと。そして新しい視座を確得してゆく地味な作業の大切さを学んだ。それは一つの財産になった。私が美術評論家として芸術家の評伝にこだわっているのも、〈人には歴史あり〉であり、どんな些細なことの中にもその人を知る貴重な事実が含まれていると考えているからだ。つまり、しっかりとした歴史観をもちつつ、と同時にみずからの分析視座を築きつつ歴史的真実に迫ってゆくことで新しい発見をめざしてゆくことの大切さを身をもって学ばさせてもらった。

歴史学のほんの一部を齧《かじ》った程度だが、少しはそれが自分の血肉になったようだ。今ふり返ってみてそうはっきりと感じることができる。

このままでは話が前へすすまないので、ヤン・フスへ戻していきたい。

私は大学の卒論をドイツの宗教改革者マルティン・ルターにした。それはみずからの信仰のベースになっているプロテスタントの誕生がいかにルターによって切り拓かれていったかに関心があったからだ。ドイツ宗教改革史やマルティン・ルター関係の文献を漁った。が古いドイツ語文献には苦労した。それは〈フラクトゥール〉といい、通称〈亀の子文字〉〈亀甲文字〉でかかれていた。古い書体のため読むのに大苦労した。読む以前に絶望の極めにおちいっていた。

それでもどうにか、卒論の規定枚数まで到達した。住み込みのアルバイト先の社会福祉施設で数日間寝ないで書きつづけた。今のようにワープロなどの利器がないので全て手書きである。

論のタイトルは「初期ルターにおける内面的独自性」とした。それは1517年にルターがいかにして〈信仰義認説〉〈聖書中心主義〉〈万人司祭主義〉の改革三本柱を自分のものにしていったのか、それをなしとげた思想の根幹には何があったのか、自分なりに分析することにあった。つまりどちらかといえば〈思想史〉からのアプローチであった。その中核にあったのが〈信仰によってこそ義とされる〉という革命的視座だった。この視座からあの有名な「95ヶ条の論題」がかかれたわけだ。つまりルターははじからローマ・カトリック教会に反旗をひるがえすつもりは毛頭なかった。

あくまで一介の神学者・聖書学者として、さらにみずからの信仰からローマ・カトリック教会が行っていた贖宥状の販売などのマチガイを正そうとしたのだった。結果的に〈信仰義認説〉などは一枚岩のローマ・カトリックに大きな風穴をあけていった。宗教裁判においてもルターは信念を曲げず「我、ここに立つ」とのべたという。だからこそ、ルター以前のボヘミヤにおける改革者たるヤン・フスに関心があったのだ。

調べてみるとフスとルターには共通点がかなりあった。その一つが〈言語の力〉を大切にしたこと。いや武器にしたともいえる。ルターは聖書をドイツ語に翻訳した。つまり現在のドイツ語自体の原型を築いたわけだ。

一方のフスはラテン語ではなく日常語（チェコ語）で日々人々に説教をした。その説教場はプラハ市内にあった「ベツレヘム礼拝堂」であった。フスは1402年より1414年までここで約3千人以上の民衆を前にして説教をしたという。その中には多くの働く人達がいた。職人、職工、商人、それに混って職を失っていた聖職者もいたという。なによりも民衆へわかりやすく教えた。大司教などによる弾圧にも屈することはなく〈聖書への回帰〉〈聖書に戻れ〉の説教はより激しさを増していった。

ルターとフスの共通点はまだある。讃美歌（聖歌）をドイツ語、チェコ語で歌えることにしたこと。ルターはみずから作曲もしている。さらにこういう見方もできるというのだ。チェコ音楽の祖の一人はフスであると……。それはどういうことであろうか。

フスの火刑後、次第にフス派の政治・社会活動は教皇派や皇帝派と対立していった。対立は軍事的衝突へと拡大していった。それを〈フス戦争〉と呼んでいる。それは15年間つづいた。事件のきっかけとなったのは１４１９年にフス派が投獄されていた同志の釈放に向かい、それが拒否されたので、役人を二階の窓から放り投げて殺したことにある。フス派のリーダーとなったヤン・ジシュカは反フス派との戦いでは、〈誰れが神の戦士か〉という讃美歌を合言葉とした。それが大きなパワーを発揮したという。

フスの讃美歌はこのあと、あのスメタナのオペラ「リブシェ」や「わが祖国」の中でも引用されていったという。ヤン・フスは、チェコ人の心にしっかりと根をおろしていったわけだ。

改革者フスのイメージが強いが、カレル大学で神学を学び、教授となり最後は総長となっている。残念ながらヤン・フスはコンスタンツ宗教会議で〈有罪〉となり、１４１５年７月６日に杭にかけられて火刑となった。ルターよりも１００年程前のこのフスの改革。その意志の強さに私は深く感銘をうけた。

そこにはチェコ人の抵抗の意志の〈原点〉をみるおもいがする。

今でもフス像が立つ旧市街の広場は学生のたまり場になっている。

プラハ―カレル橋の彫刻＊

この彫刻はフスの５００周年忌にあたる１９１５年にチェコの彫刻家ラディスラフ・シャロウンによってつくられた。広場に立つ大きな彫刻像だ。大きな量塊で周りに兵士、亡命者、母子などが並びドラマ性を帯びた彫刻群となっている。それは何か〈一つの歴史的舞台〉を再現しているようにもみえた程だった。チェコ人、いやなによりもプラハの人々はこの広場を愛し、フスをいまでも抵抗の説教師として敬愛しているのである。

［アートコラム３　驚異のストラホフ修道院］

実際にプラハを訪れてみて、この街が多様な相貌をみせているのにとても驚いた。建築の様式の混在も予想以上だったが、それ以上に驚いたのは修道院と教会の多さであった。本などで調べてみると、現在でも10程の修道院があるという。

過去はどうだったかといえば、現在の数倍はあったという。13世紀位からフランシスコ派、クララ派、シトー派などが相ついで修道院をプラハに建立した。最盛期は14世紀のカレル4世の時代という。だが15世紀に始まるいわゆる新旧両教徒によるフス戦争により多くの修道院は破壊されたという。さらにそれに加えて18世紀になりヨーゼフ2世のさまざまな改革により修道院もかなり深刻な被害を受け、閉鎖や破壊を余儀なくされたという。

残された修道院は、公的な施設として活用されていった。古文書館や宿泊施設に、また美術館に転用されていったという。いま現存する修道院は、そんな幾多の厳しい〈受難〉の嵐をのりこえてきたわけである。

そんな〈受難〉の嵐をのりこえた修道院の中でも、特にすばらしいの一言につきるのはストラホフ修道院であった。この修道院は１１４０年に当時の国王ヴラジスラフ2世の援助で創建された。修道院というと、私達はまず〈祈り〉と〈労働〉の場としてみてしまうことが多い。ただそれだけではない。中世においても神学研究の中心となり、美術でも美しい〈写本〉などがつくられていたからだ。

このストラホフ修道院だけではないようだが、この地でも修道院は〈学問の中心〉という役割をもっていた。大学や研究所の役割ももっていたというべきかも知れないのだ。

このストラホフ修道院は、さらに17世紀になりバロック様式による華麗な二つの図書館を増設した。「神学の間」と「哲学の間」である。

この二つの空間は言語を絶する美しさと荘厳さをみせている。まさに息をのむ美しさである。ある評者は、それを〈宝石箱〉にたとえているほどだ。

その荘厳さを演出しているのは蔵書の量だ。神学関係だけでなく文学作品も収蔵しているという。あわせて13万冊という。それだけではなく修道院として〈写本〉や貴重な書物もたくさんあるという。単に図書館ではなく総合的な博物館という性格をもっているということになる。

私はこんなにも美しい図書館をみたことがなかった。ここでみているのは全て「幻」ではないかとさえおもった程だ。まるで中世の時間に迷いこんだのではないかと心からおもったのだった。まさに中世の〈別世界〉が現前にあった。その〈別世界〉へと引き込む魔力のようなものが至るところに臨在していたのだ。

魔力は圧倒的パワーで私の魂をゆり動した。どうしても威容を誇る書架に並ぶ書物を手にとってみたかった。皮表紙の書物を自分の手で触わり、ページをめくってみたかった。ただそれは許されないことだった。できることは1つのみ、眼の愉悦で味ってそれに酔ことしかできなかった。

「哲学の間」は幅10メートル、奥行32メートル、高さが14メートルもある。天井部には、フレスコ画が描かれていた。絵はプラハの画家ではないようだ。調べてみるとウィーンの画家アントン・マウルベルナという。

たしか「神学の間」の方は天井がやや低く、そこにもフレスコ画が描かれていた。書架と天井画の見事な調和。

この二つの図書館、そして本体のストラホフ修道院を訪れてみて強く感じたことがある。それは建築というのは、軽薄な新奇さや一時的な斬新さだけでは歴史の文脈に刻まれることはなく後世には残っていかないということだった。現代建築家もさまざまなアイデアで新しいタイプの図書館などを作っているがはたしてどれだけの図書館が次の世紀をこえて生き延びていけるであろうか。はなはだ疑問である。そもそも図書館に所蔵に価するだけの書物や貴重な資料（アーカイブ）などがあるのか、これまたはなはだ心もとないのだ。

つくづく感じたったのはプラハの人々は〈本の器〉としてだけでなく図書館を〈美の器〉として創り出していることだ。それはいうまでもなく書物の価値を充分に知り尽しているからだろう。そのことをとても誇りにしているのだ。そんな〈美の器〉と出会えたこと。それは〈美しい記憶〉としていまもあざやかに私の中で生きているのだ。

こんなことを強く心で想った。美しい図書館の光景を想起しながら、書物もそれを蔵する図書館も莫大な歴史の歩みによってつくられるものだと。図書館と歴史とは深い〈絆〉で結ばれているのだと。

ここではストラホフ修道院の図書館について言及してきたが、未見だがイエズス会が設立したクレメンティヌムもすごいという。イエズス会は、貴族のための修道会をつくりカトリックの再支配を企図したという。ここの図書館は、現在国立図書館になっているという。ここにも行ってみたかったのだが……。

【アートコラム4　プラハとカレル・チャペック】

プラハというと歴史文化や建築の方にどうしても目が入ってしまうが、文学においてもとても重要である。ここではカフカやリルケ以外の文学者について紹介しておきたい。まず紹介したいのがカレル・チャペック〔Karel Čapek〕(１８９０～１９３８)である。生まれは東ボヘミヤのマレー・スヴァトニョヴィツェである。カレル大学を卒業後はプラハを離れてベルリンやパリへ出る。その間、新聞記者となる。つまりジャーナリストとして筆をみがいた。その一方で小説や戯曲などを手がけてゆく。その中で特に有名なのがＳＦドラマ「R.U.R」である。これは「ロッサムのユニバーサル・ロボット会社」の略である。つまり今私達が使っているロボットという言葉を作ったのはチャペックだ。それなのに日本人はロボットは知っていてもチャペックを知らない人が多すぎるのだ。このロボットという言葉。チェコ語に由来する。元の語源は〈強制された労働〉(roboto)である。

チャペックの先の「R.U.R」では〈人造人間〉として登場する。つまり人間にかわって〈労働〉する〈機械〉のことであった。それを作ったのは科学者ロッサムであった。この小説では、その人造ロボットたちは反乱をおこしてゆくのであった。どうも〈ロボット〉という存在体を発想する土台があったようだ。チャペックの完全なる独創ではないようだ。どういうことかといえば、古くからユダヤ教の伝承に〈自分で動く人形〉つまり〈泥人形〉にまつわる話があるのだ。〈ゴーレム〉の方は元の意味は〈未完成のもの〉という。つまりその泥でできたゴーレムは自分を生んだ主人のためだけで働いた。つまり人間にかわって〈労働〉する存在であった。実際に、プラハにはこのゴーレムの物語が伝承されているという。それによると16世紀の頃ユダヤ教のラビ、イエフダ・レーヴ・ベン・ベザレルは自分たちの民族を守るために、敵対する人々を攻撃・破壊するゴーレムを造った。

そのゴーレムは夜な夜なユダヤ人たちを守るために暴れ回ったという。その役目を終えると元の泥人形に戻されたという。どこか魔的な物語であるがこういう話が生まれるということは、ユダヤ人たちへの激しい抑圧や攻撃があったということを示しているのだろう。現在でもプラハでは、ゴーレムをモティーフにした土人形が土産につくられているという。それだけ現代にまでゴーレム信仰は姿をかえて生きづいているということだ。

このようにロボットはゴーレムと深いつながりがあるようだ。つまりゴーレムは単なる幽霊ではない。人が土の中に魂をこめて造るのだから…。こうした異形の〈生き物〉を生み出してゆくこと。それは文学的想像力だけによるものではない。それと同じ意味でロボットにもそれと同質のものが宿っていると私は考えている。プラハには、そんなミステリアスな物語・逸話がたくさんあるのだ。これは私見だが、そうした身近なゴーレム信仰やロボット制作を生み出す土壌からカフカは『変身』において主人公グレゴール・ザムザが異形の生きものになってゆくという〈発想〉をつくり出していったのではないだろうか。どこかに〈関係〉と〈影響〉があったはずだ。そう考えてみるとザムザの〈変身〉は、全く別なことを象徴しているともおもえてくるのだ。プラハには先にのべたゴーレムを造ったラビのレーヴの墓があるが、そこに多くの方々は足を運んでいるというし、このラビの立派な巨大な像もプラハに建っているという。

話をチャペックに戻すことにする。彼のもう一つの代表作に『山椒魚戦争』（1935）がある。チェコ語では〈Válka s mloky〉という。ジャンルでいえばいわゆる世界の終末がテーマ。それをSFタッチで描いている。これも不思議な物語だ。なんとオオサンショウウオが人間のための〈家畜〉となり、話をする能力をもってゆく。物語は童話のようにはならない。映画では同じようなテーマを扱ったのに「猿の惑星」があるがそれは1968年の作品。この映画は、SFアドベンチャー物に属するもの。ここでは人間が猿の〈家畜〉〈奴隷化〉されている。猿の方が知恵をもち、より人間的に描かれている。『山椒魚…』の方は、1935年から1936年に新聞に連載された。だから「猿の…」より30年近く前の作品ということになる。ここで作品がかかれたのが1930年代であったことに注目してみたい。この年代はナチス・ドイツが台頭して、実権をにぎりはじめ、そのファシズム的性格をみせはじめた時期である。チャペックは、それをかなり意識してかいたようだ。だから単なるSF物とはいえないし、ファンタジーものではない。ヨーロッパの政治情況をみつめつつ、〈狂気的政治家〉が誕生し、〈民族虐殺〉を行うことを警告しているのだ。つまり小説とは真逆に人間そのものを〈家畜化〉させてゆく狂気的政治家がうまれてくることを〈予告〉しているのだ。だから風刺やイロニーをこえた批判的意志がここにはあるようだ。

実際に本の中では〈山椒魚総統〉なるモノが登場して、演説するシーンがある。これなどはまさにナチス・ヒトラーを〈想定〉してのことであろうか？　このようにチャペックは、現代文学においても、とても重要な作家である。あえていえば未来社会の終末を憂いながら描き出した作品といえる。現在〈AI〉が人間の頭脳に代ってくる危機的な情況が進行してきている。ニュースまで〈ＡＩ〉が選んで人工音声で伝えはじめている。これは人間の意識、人間の存在そのものの危機ではないのか。〈ＡＩ〉が一方的に言葉や思想を支配していったら…。〈ＡＩ〉が絵や彫刻を造りこれが〈新しい芸術だ〉といいはじめたら…。それは人間の〈家畜化〉そのものではないか。チャペックの本、今、読まれるべき本である。もう一つのチャペックの顔があることを最後に伝えておきたい。かなり前になるが、北海道大学の〈博物館〉でチャペック展がひらかれたことがある。これをみにいった。小さな展覧会であったが今でも印象に残っている。その中で一番興味をもってみたのが、『ダーシェンカ』という作品だった。それはダーシェンカというかわいらしい子犬が主人公だった。チェコだけでなく、世界中で人気を集めている作品という。このダーシェンカは、チェペクが家で飼っていた犬のこと。やんちゃな子犬のダーシェンカ、小さな犬小屋に住んだダーシェンカ、それを描いたハガキを一枚買ってしばらく家に飾っていた。どうも本の中の〈挿し絵〉は兄ヨゼフの手によるもののようだ。この作家の別な相貌をみたおもいをした。

子犬のダーシェンカ（『チャペック展』で買い求めたカード）

［アートコラム5　モーツァルトとプラハ］

あまり関係なくみえるかも知れないが、モーツァルトとプラハは深い絆で結ばれている。互いの相性がよかったのであろう。たしかにヨーロッパ中を演奏の旅をしたモーツァルトだから、プラハを訪れていても何ら不思議ではない。だが調べれば調べる程モーツァルトとプラハはなかなか作曲づくりにおいても大切な場になっているのだ。プラハに来るとモーツァルトが泊っていた貴族の館がある。その一つの館の名は「ベルトラムカ」という。それは17世紀につくられた古い荘園の館である。この「ベルトラムカ」というのは、この館の所有者の一人フランチシェカ・ベルトラムスカーに由来するという。この古い館を買いとった一人のオペラ歌手がいる。その名をヨゼフィナ・ドシュコヴァーという。彼女の夫は音楽教授フランチシェク・ドシェクという。二人は１７７７年に新婚旅行でザルツブルクを訪れ、ある一家と知り合うことになる。モーツァルト一家だった。それがきっかけとなり両家は交流を続けたという。

ある時まだ若かった作曲家モーツァルトをプラハに招待した。それは１７８７年のこと。それ以後もモーツァルトはなんと5度にわたってプラハを訪れている。ただしプラハでは初めからモーツァルトは「ベルトラムカ」には泊ってはいない。

最初の訪問時はトゥーロン公爵の世話になっている。そしてその時はノスティッツ劇場で「フィガロの結婚」を指揮している。

このオペラはフランスの劇作家ボーマルシェが1778年に書いた戯曲をベースにしている。ボーマルシェは「フィガロ三部作」といわれる作品をのこしている。あとの二つが「セビリヤの理髪師」と「罪ある母」である。全て主人公はフィガロである。

さて二度目の訪問時は、このノスティッツ(現在・スタヴォフスケー劇場)劇場の近くにあった。通称「三匹の金のライオン」と呼ばれていた宿に泊ったが、すぐに「ベルトラムカ」に移ったという。実はこの時、モーツァルトはオペラ・ブッファ「ドン・ジョヴァンニ」をこの「ベルトラムカ」で作曲しているのだ。なんとこの完成したオペラをモーツァルトはプラハの人々のために捧げて、ノスティッツ劇場で初演している。つまりプラハは「ドン・ジョヴァンニ」の生みの親なのだ。ただ「ドン・ジョヴァンニ」は難産だったという。いつものように作曲はスムーズにいかなかったようだ。この家にカンヅメ状態となり譜面書きをしたという逸話さえ残っている。実際にインクが充分に乾かない状態でオーケストラのメンバーに渡されたという。

三度目の宿は「一匹の金の犀」だった。プラハの館にはこういう動物の名の付いたのが多いのが特長だ。それが館の標(看板)になっていたようだ。

その後他の都市への旅行中に4度目の訪問があり、最後となる5度目の訪問は1791年夏のこと。最初の訪問が1787年だから、4年間のあいだに5度訪問しているわけだ。モーツァルトは35歳で亡くなっているのだから、その短い人生のことを考えてみても決して少ない数ではない。この最後の時は再び「ベルトラムカ」に泊まっている。

この最後の訪問時にも新しいオペラの上演を行っている。それが「皇帝ティートの慈悲」であった。この曲をモーツァルトは1991年にみずから指揮をして皇帝レオポルト2世の戴冠式を祝ったという。このオペラはローマ皇帝ティートを主人公とする。先帝の娘ヴィッテリアは、自分がティートの花嫁候補にならないことにいらだち、復讐を企てる。ティートの友人セストにティートの宮殿に火を放たせる。この大事件に対して、皇帝ティートは寛大な慈悲を示し、二人を許すというストーリー。この内容ではレオポルト2世の戴冠を祝うというにはやや無理がある。それでも基本は皇帝の慈悲を賛美しているので、それなりに受け入れられたようだ。

私は今、映画ミロス・フォマン監督の「アマデウス」のことを想い出している。この映画の魅力は一つにプラハの街や劇場が舞台になっていたことだ。オペラの上演シーンに使われたのはあのスタヴォフスケー劇場だった。この劇場は、エスティト劇場ともいわれるが当時はノスティッツ劇場といわれていた。これまでのべてきたように、モーツァルトがあの「ドン・ジョヴァンニ」をみずから指揮した劇場である。なかなか憎い演出ではないか。ただ私はどうしてもモーツァルト役のトム・ハルスは、ミスキャストだったと今でも思っている。誰れか、新しい「アマデウス」を制作してくれないだろうか。できればプラハのオール・ロケで…。そしてできればモーツァルトの〈内面性〉に深く迫るものであってほしいのだ。

フランツ・カフカの〈実像〉を求めて――あとがきにかえて

ここに一冊の本がある。上田和夫著『イディッシュ文化―東欧ユダヤ人のこころの遺産』（三省堂・1996）だ。その第5章は〈「ゲットーの言語」を捨ててキリスト教社会へ―西ヨーロッパ〉となっていた。そこには上田和夫自身がイディッシュ言語との出会いをつくったのはカフカとの出会いであったとかかれていた。

このイディッシュ語とは、東欧のユダヤ人達が話していたドイツ語に近い言語のこと。この章を読んでいてあることに気付かされた。そこにかかれていたことは、これまで私達がイメージしていたカフカ像とかなりの相違をみせていたのだった。

これまでカフカをドイツ語で文学をつくり出した〈同化ユダヤ人〉として位置づけすぎていたのではないのかと……。それは不完全であり、真のカフカ像は別なところにあると知らされたのであった。なぜならカフカ自身がみずからの〈ユダヤ性〉に目覚めた大きな出会いと経験があったことが記されていたからだ。

上田和夫の指摘を少し要約してみることにする。カフカは友人マックス・ブロートに連れられてレンブルク（現ウクライナのルボフ）からプラハにやってきた旅回りの〈イディッシュ劇団〉が「サヴォイ」というカフェでイディッシュ語で演じた劇を数多くみたという。カフカにとってはみずからの血の出自を示す〈イディッシュ語〉による劇から、これまで奥深くにしまい込んでいたユダヤ性に目覚めることになったという。みずからその劇の内容、俳優との交友を『日記』の中に残しているという。

また一人の俳優イツハク・レヴィに心をひかれていった、と。そしてこの俳優のために、未完となっているが、彼をテーマにして〈物語〉を構想したというのだ。

さらに1911年2月18日には、カフカはユダヤ市庁舎でイディッシュ詩の朗読の夕べを開催した。カフカはにわか勉強を生かしてイディッシュの普遍性を説きあかしたという。こんな風にのべたという。みんなが隠語（ジャンゴン）としてみているイディッシュ語は〈外来語〉からなり立ち〈民族移動の嵐がイディッシュ語のなかを端から端までとおりぬけることもあります〉と。イディッシュ語は単に雑種性に在するのではなく、民族の歴史そのものを内包しているのだと強調したのであった。

上田和夫はさらに言葉を重ねてゆく。このイディッシュ語による演劇体験は、カフカの小説『審判』、『城』、『アメリカ』などにあまり気づかれることなく、演劇で見聞したテーマやシーンが挿入されていると分析している。

その一つの例をとりあげている。『審判』の冒険シーンにあるという。「誰かがヨーゼフKを中傷したにちがいなかった。なぜならK自身は何も悪いことをしたことがないのに、ある朝逮捕されてしまったからである」。このヨーゼフKのいわれなき逮捕はカフカがみた演劇『過越の祭《セデル》の夜』の一シーンをおもいおこさせるという。いやまだまだあるという。『判決』や『失踪者』（アメリカ）の中にも隠れたものがあるという。

これは私が全く知らなかったことだが、上田和夫はこの本の中で衝撃的事実を私につきつけてきた。

それは一体何か。それはカフカは次第にユダヤ教に〈はまり〉〈シオニズム運動〉にも興味を示し、みずからパレスチナへの移住を考えたことがあるとも……。それは実現することはなかったが、そういう意志をもっていたとは……。初めて知ることだった。

私はプラハでカフカの足跡を辿ってみたが、それは充分にはできなかった。美術中心の旅だったので、充分にカフカの足跡を辿ることができなかった。彼が執筆のために一時住んだ「黄金の小路」の一角にある〈家〉を訪れ、ユダヤ人墓地、シナゴーグを訪れたくらいだった。だからこそ、先の上田和夫の本は、私の中のカフカ像に新しい光を注いでくれた。

まちがいなくカフカは〈同化ユダヤ〉に甘んじてはいなかったのだ。どうしてもドイツ語でみずからの文学をかかねばならなかったが、本当はイディッシュ語で書きたかったかも知れないのだ。この本を読んでいて私はそう強く感じたのだった。

〈プラハの旅〉が終わってからかなりの時間が経った。21世紀になっていた。私の中である想いが1つの啓示となって泉水のようにわき上がってきた。詩の中で私が感受したカフカ像を打ち立ててみたいと……。

それを詩の葉「カフカの皮膚へ」として数篇にまとめた。副題として〈カフカの街プラハを歩行して詠めり〉とした。この「カフカの皮膚へ」は澤田展人が発行・編集人をしている『逍遥通信』(第4号・2019)に発表した。ここでは12の断片(フラグメント)の中から3つの詩を再録しておきたい。

「ざらざらのザムザの皮膚血を滴らせ石畳の襞《ひだ》に織り込まれり」

「〈黄金の小路〉にひっそり佇むカフカ脳髄笑う」

「〈凍えるような宇宙をあたためる〉と予言したカフカその手に触りたい」

最後の詩について少しのべておきたい。

カフカは死の床にあって予言めいた言説をのべたという。それが〈凍えるような宇宙をあたためる〉というもの。私はその死の床にいたカフカの冷たい手に触ることでカフカの心の襞《ひだ》に潜在していたものを少しでも感じることができるとひたすら願ったのだ。

興味がある方は『逍遥通信』にあたってみてほしい。

全く〈あとがき〉らしくない文になってしまったが、寛恕願いたい。

まだまだ私にとってプラハは多くの『謎』と『闇』を秘めた都市でもある。これからも未知なるプラハの発見に努めてゆきたいと思っている。もちろん文学者カフカのことについても調べていきたいと……。

プラハ—聖ヴィート大聖堂＊

Mikrokosmos III

柴橋 伴夫（しばはし・ともお）

1947年岩内生まれ。札幌在住。詩人・美術評論家。北海道美術ペンクラブ同人、「ギャラリー杣人」館長、荒井記念美術館理事、美術批評誌「美術ペン」編集人、文化塾サッポロ・アートラボ代表。［北の聲アート賞］選考委員・事務局長。主たる著作として詩集『冬の透視図』（NU工房）/『狼火　北海道新鋭詩人作品集』（共著　北海道編集センター）/ 美術論集『ピエールの沈黙』（白馬書房）/『北海道の現代芸術』（共著　札幌学院大学公開講座）/ 美術論集『風の彫刻』・評伝『風の王――砂澤ビッキの世界』・評伝『青のフーガ　難波田龍起』・美術論集『北のコンチェルトⅠ Ⅱ』・シリーズ小画集『北のアーティスト ドキュメント』（以上　響文社）/ 旅行記『イタリア、プロヴァンスへの旅』（北海道出版企画センター）/ 評伝『聖なるルネサンス　安田侃』・評伝『夢見る少年　イサム・ノグチ』・評伝『海のアリア　中野北溟』・シリーズ小画集『北の聲』監修・『迷宮の人　砂澤ビッキ』（以上　共同文化社）/ 評伝『太陽を掴んだ男　岡本太郎』・『雑文の巨人《マエストロ》　草森紳一』・美術評論集成『アウラの方へ』（以上　未知谷）/ 評伝『生の岸辺　伊福部昭の風景』・評伝『前衛のランナー　勅使河原蒼風と勅使河原宏』・詩の葉『荒野へ』・評伝『絢爛たる詩魂　沙良峰夫』・『ミクロコスモスⅠ―美のオディッセイ』・『ミクロコスモスⅡ――美の散歩道《プロムナード》１』（以上　藤田印刷エクセレントブックス）/ 佐藤庫之介書論集『書の宙（そら）へ』（中西出版）編集委員。

ミクロコスモスⅢ――「美の散歩道《プロムナード》２」

2023年10月20日　第１刷発行

著　者　柴橋 伴夫　SHIBAHASHI Tomoo
発行人　藤田 卓也　Fujita Takuya
発行所　藤田印刷エクセレントブックス
〒085-0042　北海道釧路市若草町３－１
TEL 0154-22-4165　FAX 0154-22-2546
装　丁　NU工房
ロゴデザイン　市川 義一
印　刷　藤田印刷株式会社
製　本　石田製本株式会社

ISBN 978-4-86538-160-3 C0070